전정판

유아
체육론

김은정, 박상현, 안나영, 이정국 저

대경북스

저 | 자 | 소 | 개

김은정
명지대학교 대학원 체육학석사
명지대학교 대학원 이학박사
와세다대학교 Post Doc.
현 명지대학교 사회교육대학원 객원교수
　한국유소년스포츠학회 상임이사

박상현
용인대학교 체육학과 졸업
용인대학교 체육학과 석사
수원대학교 체육학과 이학박사
전 경기도체육회 사무처장
현 장안대학교 생활체육과 조교수
　(사)한국유소년스포츠클럽협회 부회장

안나영
명지대학교 대학원 체육학박사
현 한양대학교 Post Doc
　동국대학교 스포츠과학과 겸임교수
　울산대학교 스포츠과학부 강사
　한국유소년스포츠학회 이사
　한국유소년체육지도자협회 이사
　한국발육발달학회 이사

이정국
원광대학교 체육학과 졸업
원광대학교 대학원 체육학 박사
원광대학교 대학원 이학박사
현 전주비전대학교 태권도체육학과 교수

유아체육론

초판발행　2020년 9월 15일
초판2쇄　2022년 9월 10일
발 행 인　김영대
발 행 처　대경북스
　ISBN　978-89-5676-829-8

등록번호 제 1-1003호
서울시 강동구 천중로42길 45(길동 379-15) 2F
전화: (02)485-1988, 485-2586~87 · 팩스: (02)485-1488
e-mail: dkbooks@chol.com · http://www.dkbooks.co.kr

머리말

＊＊＊＊＊＊＊＊＊＊＊＊＊＊＊＊＊＊＊＊＊＊＊＊＊＊＊＊＊＊＊＊＊＊＊＊

스포츠지도사 시험에 응시하는 학생들을 위하여 『유아체육론』을 출판한 지 3년 만에 개정·보완한 『유아체육론』의 전정판을 세상에 내놓게 되었다. 이번 개정판을 작업하면서 원리적인 측면과 이론적인 기반을 대폭 정비하여 전작의 다소 아쉬웠던 부분을 충분히 보완할 기회를 가지게 된 것에 대해 만족스럽게 생각한다.

영·유아 시기의 신체활동 및 체육활동은 개인의 신체발육은 말할 것도 없거니와 정신적 성장, 정서함양에도 지대한 영향을 미친다.

철봉 매달리기·달리기 등의 신체활동은 활동욕구를 충족시키며, 신체발육이 이루어짐과 동시에 노에피네프린, 도파민과 같은 물질분비를 촉진시켜 아이들의 뇌성장을 돕는다. 아울러 남들과 함께 체육활동을 함으로써 사회성이 함양되며, 경쟁이 가미된 신체활동을 통한 성공의 경험으로 인해 자신감 내지 자존감을 키울 수 있다.

이 책은 스포츠지도사 시험 준비를 하는 학생들로 하여금 시험에서 좋은 결과를 얻을 수 있도록 함은 물론, 유아체육의 전반적인 내용을 이해하고 나아가 현장에서 접목하여 사용할 수 있도록 실기적인 측면도 강조하여 집필된 책이다.

이 책에서는 유아기의 신체적·정서적·인지적 발달특성과 유아기 운동발달에 관한 이론 등 유아체육의 전반적인 개념, 유아 운동발달 프로그램의 원리와 구성요소, 유아체육 프로그램 교수-학습법에 대해 이해하기 쉽도록 설명하였다.

3

또한 후반부에는 연령에 따른 걷기, 달리기, 뛰기, 던지기와 잡기, 전신동작, 도구를 이용한 운동 등의 유아체육 프로그램을 수록하여 유아체육 현장에서 적용할 수 있도록 배려하였다.

영유아의 전인적인 성장에 신체활동과 체육활동은 필수적이다. 요즈음 시기처럼 매스미디어와 모바일문화의 발달로 운동부족이 사회문제로까지 대두되는 사회에서는 더욱 그러하다. 아무쪼록 전공자들이 본서를 통해 원하는 학문적 성취를 이루고 현장에 나아가, 재미와 흥미를 주는 신체활동을 통해 영유아의 정신과 신체의 조화로운 성장을 도모하고, 평생체육의 근간을 마련할 수 있기를 기대해본다.

2020년 9월

저 자 씀

차 례

제 1 장 유아체육의 이해

제 2 장 유아기의 발달 특성

7

제**3**장 유아기의 운동발달에 관한 이론

9

제❹장 유아 운동발달 프로그램의 구성

제5장 유아체육 프로그램의 교수-학습법

제**6**장 **연령별 운동능력 향상 프로그램**

제1장

유아체육의 이해

01 유아체육이란

❶ 발달단계의 구분

발달단계에 있는 사람을 소아 또는 어린이라고 부른다. 몇 살까지를 어린이라고 해야할지는 잘 모르지만, 성장과 발달이라는 관점에서 보면 육체적인 성장이 끝나는 20세까지를 소아라고 할 수 있다.

대한소아과학회에 따르면 소아기는 다음과 같이 크게 다섯 단계로 나뉜다.

» 생후 4주간을 '신생아'라 한다. 그다음이 '영아'이다.

» 영아기는 일반적으로는 1개월~1년을 말하지만, 생후 2년까지를 영아기로 잡기도 한다.

» 세 번째 단계는 '유아'로 2~5세 사이이다.

» 6세부터는 학령기 '아동'이라 하고, 대략 11세까지이다.

» 다음이 '청소년'인데, 학령기와 청소년기의 경계선을 정하는 것은 쉽지 않다. 왜냐하면 근래 사춘기의 시작이 빨라졌고, 발달은 남녀 간에도 2년 가량 차이가 나기 때문이다.

❷ 유아체육의 정의

유아의 '체육'은 유아를 위한 신체활동을 통한 교육으로 볼 수 있다. 따라서 '유아체육'은 각종 신체운동(운동, 게임, 체육놀이, 댄스 등)을 통해 교육적 견지에서 지도하고, 운동욕구 만족(정서적 측면)과 신체의 여러 기능의 조화적 발달(신체적 측면)을 도모함과 동시에 정신 발달(정신적·지적 측면)을 촉진하고, 사회성(사회적 측면)을 몸에 익히게 함으로써 심신 모두 건전한 유아로 기르려고 하는 행위(인간 형성)라고 할 수 있다.

또한 체육이 교육인 이상 그 과정에는 계통화와 구조화가 필요하다. 즉 유아의 실태를 알고, 지도목적을 세우고, 학습내용을 구조화하여 지도방법을 연구·검토하고, 그 결과를 평가하여 앞으로의 자료로 삼는 것이 필요하다.

따라서 '유아체육'은 아이의 전면적 발달(신체적·사회적·지적·정서적·정신적 발달)을 목표로 하는 교육 전체 안에 위치시키는 것에서 출발해야 한다. 그리고 지도는 체육놀이가 중심이 되므로 건강·안전 관리의 배려를 기반으로 전개되어야 한다.

그런데 유감스럽게도 우리나라의 어린이들은 운동놀이를 즐겁게 할 수 있는 환경에 있지 못하다. 도시에는 어린이들이 뛰어놀 수 있는 공간이 없고, 시골에서는 같이 뛰어놀 수 있는 또래친구가 없다. 그 결과 '놀줄 모르는 어린이' 또는 '친구와 함께 놀지 않는 어린이'가 점점 늘고 있다.

옛날 어린이들은 모두 노는 데에 천재였고, 놀 시간만 있으면 언제까지나 놀았다. 그러나 요사이 어린이들은 "무엇을 하고 놀까?" 생각하다가 결국에는 아무것도 하지 못하는 경우가 많고, 개구쟁이는 없어지고 애늙은이만 많아지고 있다.

어린이들의 운동놀이 부족 때문에 발생되는 문제는 다음과 같다.

» 신체적·체력적 문제 …… 방어반사 기능이 저하되어 상체에 (얼굴부위를 중심으로) 부상을 입는 경우가 많아졌고, 뼈가 쉽게 부러지고, 운동능력과 운동기능이 저하되어 있다.

» 심리적 문제 …… 어린이들의 자립심이 저하되고, 문제를 해결하려고 하는 의욕이 낮아졌으며, 자폐적인 경향이 증가하여 문제행동을 보이는 어린이의 수가 증가하였다. 이러한 심리적인 문제가 생긴 이유는

'놀면서 배운다'는 유아기의 특성이 있는 데도 불구하고, 어린이 시절에 마음껏 놀지(행동하지) 못한 것이 주된 원인이다.

이상과 같은 현상을 인식하고 나라의 장래를 염려하는 지식인들이 제시한 해결책이 유치원이나 어린이집에서 어린이들에게 놀이를 가르치는 것이다.

바쁘고 복잡한 현대생활 속에서 어린이들에게 운동놀이를 가르칠만한 곳이 유치원과 어린이집밖에 없는데도 중앙정부와 지방정부가 유치원과 어린이집의 예산 지원을 서로 미루고 있는 것이 현실이다.

거기에 더해서 유치원이나 어린이집에서 무엇을 어떻게 가르쳐야 할지 확고한 개념도 없이, 무작정 어린이들을 유치원이나 어린이집에 보내서 부모가 직장에서 돌아올 때까지 시간만 보내면 된다는 식의 사고방식은 더욱 더 위험하다.

다음은 학자나 문화체육관광부 등 유아체육과 관련이 있는 기관에서 내린 유아체육에 대한 정의 중에서 몇 가지를 발췌한 것이다.

» 유아기의 어린이들을 대상으로 유아들의 몸과 마음의 특성에 유의하면서, 유아들의 발달단계에 알맞은 신체운동을 시킴으로써 몸과 마음이 모두 건강한 어린이를 길러낼 목적으로 하는 교육적인 행동이다.

» 신체활동을 통하여 유아의 성장발달을 도와 신체적 · 정신적 · 사회적으로 완전한 전인적 인간으로 만들려는 교육이다.

» 유아들이 느끼는 흥미와 관심에 따라서 각종 운동내용들의 특성을 설정하여 유아의 교육계획에 활용함으로써 운동놀이로서의 기능을 발휘하고자 하는 교육을 말한다.

» 활발한 신체의 움직임을 수반하는 놀이를 통하여 무한한 잠재력을 신장시켜 개인적으로 행복하게 하고, 나아가 그들의 역량이 국가발전의

밑바탕이 되도록 건강한 신체와 건전한 정신을 기르는 것이다.

한편 유아체육에 대한 정의들을 종합하면 다음과 같다.

» 놀이를 중심으로 한 유아들의 모든 신체활동을 포함하는 것으로, 가장 핵심이 되는 것은 움직임 교육이다.

» 유아기의 적절한 운동은 성장 발육과 운동기능의 발달을 가져오고, 유아의 전인적인 성장과 성숙을 위해서도 꼭 필요하다.

본래 유아는 0~3세의 어린이를 말하지만, 우리나라에서는 스포츠지도자를 양성하는 과정에서 유아와 만 12세 이하의 초등학생까지를 합해서 '유소년'이라 하고, 체육활동을 통하여 유소년들을 전인적인 인간으로 기르려고 하는 교육활동을 '유소년체육'이라고 한다.

❸ 체육놀이와 운동놀이

여기서 말하는 '체육놀이'란 체육 지도에 쓰이는 운동놀이를 말한다. 즉 교육적 목표를 달성하기 위해 사회적·정신적·지적인 면을 고려해서 넣은 체육교육적 행위인 '운동놀이'를 말한다. 따라서 체육놀이는 신체활동을 통한 신체의 발육 촉진 및 즐거움 제공, 체력이나 운동기능을 높이는 일 등도 포함하고 있다. 또한 친구와 함께하므로 사회성이나 정신적인 면도 육성할 수 있다. 그 과정에는 '노력하는 과정'도 포함되어 있다는 점이 특징이다.

다시 말하면 운동놀이는 아이가 재미없어지거나 질리면 언제든지 그만 둬도 상관없다. 그런데 같은 운동놀이가 교육적 목표 달성을 위한 체육 중 하나로 채용된 경우(이 운동놀이를 '체육놀이'라고 한다)에는 아무때나 그만둘 수 있는 것이 아니다. 참가아이들도 서로 돕거나 협력해서 공유하는 시간 내에는 노력하는 과정이 필요하다.

④ 유아체육의 목적

유아기의 체육에서는 운동실천을 통한 운동기능 향상이 주목적이 아니다. '유아가 어떤 마음의 움직임을 체험했는가', '어떤 기분을 체험했는가' 하는 '마음의 움직임' 체험이 최우선이 되어야 한다. 즉 마음의 상태를 만들어주기 위해 몸을 움직이게 하는 것이다.

오늘날 아이들의 모습을 고려하면 다음의 3가지 점을 유아체육의 목적으로서 중요시하고 싶다.

» 스스로 과제를 찾고, 스스로 생각하고, 스스로 판단해서 행동하려는 의욕과 강한 의지력을 기른다(지적·정신적).

» 다른 사람과 협조하고, 친구를 배려하는 마음과 감동하는 마음을 가질 줄 아는 넉넉한 인간성을 기른다(정서적·사회적).

» 건강생활을 실천할 수 있는 체력과 운동기술을 몸에 익히게 한다(신체적).

02 유아체육의 지도법

유아의 체육 지도는 먼저 아이에 대한 지도자의 생각에서 출발하여 구체적인 단계로 내려와 전개되어야 한다. 이때 지도자의 개성이나 경험이 반영되기도 하며, 대상아동에 따라 지도방법이나 기능이 달라질 수도 있다.

① 지도방법

유아에게 체육을 지도할 때는 다음과 같은 지도자의 의도가 반영되어야 한다.

■ 직접적인 행동지표를 나타내는 지도(예절교육적인 기능)

이 지도는 가치관이 포함된 내용이 지도자로부터 직접적으로 나타난다. 특히 운동규칙이나 안전상의 규칙에 관한 내용이 많다. 이것에 의해 아이들은 활동하기 쉬워진다. 다만 내용이나 상황에 따라 생각하게 하는 지도와 어떤 것을 선택할지를 생각해서 사용할 필요가 있다.

■ 아이 스스로 생각하게 하는 지도

이 지도는 직접적인 행동지표를 나타내는 지도와 달리 때로는 바람직하지 않은 행동이 생길 때 많이 사용한다. 이 지도에 의해 지도자가 행위의 방향성이나 선악을 일방적으로 제시하는 것이 아니라 주어진 운동이나 과제를 아이들 스스로 받아들이게 된다.

그런데 지도대상아동이 이 지도가 가능한 수준인지 아닌지는 확인해봐야 한다. 때로는 이렇게 생각하게 하는 지도법이 잔소리와 같은 상황에서 행해지기도 한다. 이야기를 듣는 쪽에 대한 지도자의 코멘트를 전달하는 경우에 잘 받아들여진다.

❷ 지도 테크닉 ··

주된 지도 테크닉은 '아이의 바람직한 행동을 인정하고, 다른 아이에게 알리는' 방법이 있다. 바람직한 행동을 한 아이는 "○○, 대단해", "○○는 빨랐으니까 모두 박수쳐주자.", "제대로 앉아서 이야기를 듣고 있는 사람이 있네."처럼 칭찬을 해준다. 특히 바람직한 행동은 그 자리에서 인정하고 다른 아이들에게 보여주게 한다.

바람직하지 않은 행동에 대해서는 직접 지도하지 말고, 바람직한 방법을 보여주거나 우회적으로 표현하여 마음이 상하지 않도록 해야 한다. 때로는 완곡한 지시로 서두르게 할 때나 활동 시에 "여자아이는 빠르군요.", "10, 9, 8, 7......", "○○가 빨랐네." 등으로 표현한다.

한편 지도자는 무언어적 지도로 '표정이나 태도'를 표현할 수도 있다. 아이는 지도자의 표정이나 태도로부터 가치관을 찾거나 선악을 판단하기도 한다. 아이들은 자기가 정말 좋아하는 지도자가 공감하거나 인정해 주면 직접적으로는 행동의 지표가 되고, 간접적으로는 활동을 보다 발전시키는 의욕을 불러일으키기도 한다. 그러나 바람직하지 않은 행동에 대해서는 말뿐만 아니라 태도에도 나타난다.

특히 '지도자의 존재 자체가 아이들의 주의를 환기시킨다'는 것을 잊어서는 안 된다. 다시 말해서 지도자의 존재 자체가 아이의 활동에 영향을 미친다는 것이다. 지도자가 행하고 있기 때문에 아이들은 그 활동에 흥미를 갖거나, 선생님과 함께하고 싶다고 생각하게 된다.

요약하면 유아체육 지도자는 아이들 각자가 성공하도록 도울 필요가 있다. 이때 모범이나 시범 등 다양한 지도 테크닉을 활용하여 지도해야 한다.

나아가 지도자는 일상생활이나 지도활동에서 좋은 모델이 되도록 노력해야 한다. 아이들의 인생에서 성공감을 갖는 진취적인 경험은 다음의 새로운 실천으로 이어지게 한다.

03 유아체육의 지도내용

유아체육의 지도내용은 주로 걷기·달리기·뛰기 등의 운동, 모방운동, 리듬운동, 체력만들기운동(체조 포함), 도구를 사용하는 운동(공 운동, 줄을 사용하는 운동, 링을 사용하는 운동, 타이어를 사용하는 운동, 트램폴린 운동 등), 고정놀이기구로 하는 운동(오름봉, 그네운동, 미끄럼틀운동, 철봉운동, 정글짐운동 등), 집단놀이, 운동게임(술래잡기, 스포츠놀이), 물놀이, 수영, 눈놀이 등이다.

그런데 유아체육의 지도내용은 '유아를 위한 체육'이라는 목적을 달성하도록 짜여져야 한다. 유아체육의 목적은 아이들이 활기찬 인생을 즐기는 데 필요한 기초적인 스킬·지식·태도를 익힐 수 있는 학습의 장을 다양하게 공급하는 데 있다. 이에 필요한 지도내용은 특히 다양한 기본적인 운동스킬이나 자각운동스킬, 움직임 연구, 리듬, 체조, 간이운동게임, 물놀이, 수영, 건강·체력 만들기 등 유아체육의 목적을 달성함과 동시에 살아가는 데 도움이 되는 영역이다.

그중에서도 기본운동스킬인 초보적 단계는 일반적으로 4~5세 무렵부터 익히는 것이 바람직하다. 한 가지 단계로부터 다음 단계로의 전진은 학습기회의 양과 질에 따라 달라지는데, 유아기인 아이들에게는 취학 전까지는 기본운동스킬을 널리 발전시킬 필요가 있다.

유아체육의 목적을 달성하기 위한 8가지 지도영역은 다음과 같다.

① 기본운동스킬

이동운동이나 제자리에서 하는 운동, 밸런스운동, 조작운동 등의 기본
운동을 이해하고 할 수 있게 해야 한다. 아이는 신체기능에 기반을 둔 움
직임을 연습함으로써 자신감을 갖게 된다. 이러한 기초적인 운동스킬은 평
생 경험하는 스포츠나 댄스, 체조, 회전운동, 체력만들기 등등의 전문적인
스킬을 만드는 토대가 된다.

> » 걷기, 달리기, 뛰기, 한발뛰기, 스킵, 슬라이드딩, 갤럽 등의 기본적인
>   이동운동스킬
> » 펴기, 당기기, 밀기, 구부리기, 돌기 등의 비이동운동스킬
> » 평형운동(밸런스 스킬)의 능력과 신중함
> » 조작운동스킬(maipulate skill)의 능력 : 예를 들면 멈춰 있는 물체나
>   움직이고 있는 물체에 공 던지기, 차기, 치기 등
> » 이동운동, 비이동운동, 평형운동, 조작운동 등의 복합한 움직임 능력

② 지각운동스킬

지각한 정보를 받아들여 이해·해석하고, 거기에 적합한 반응을 나타
내는 능력(신체지각, 공간지각, 평형성, 손과 눈·발과 눈의 조화능력)을
촉진시킨다.

■ 신체지각

» 머리, 눈, 코, 귀, 발가락, 다리, 배, 등, 팔 등 주요 신체부위 확인
» 엎드리거나 누운 자세, 무릎으로 서는 자세, 앉은 자세 및 선 자세의 확인과 체험
» 말로 지시하여도 모방이 가능하게 한다. 물체나 동물의 움직임을 배우거나 생각하게 하여 그러한 움직임을 모방할 수 있게 한다.

■ 공간지각

» 상하의 개념 : 공간적인 지각능력을 길러준다.
» 좌우의 개념 이해 : 신체의 좌우 움직임을 알고 구분하여 사용한다. 예를 들면 좌우의 팔을 각각 움직이거나, 동시에 움직이거나, 혹은 교차로 움직인다. 다리도 마찬가지로 각각, 동시에, 교차로 움직이게 한다. 나아가 같은 쪽 팔과 다리를 동시에 사용하거나 반대쪽 팔과 다리를 동시에 사용하게 한다. 또 팔벌려뛰기처럼 양손과 양발을 동시에 사용하게 한다.
» 신체 각 부위의 연결, 선과 원, 사각 등 기본적인 형태 이해
» 자기의 몸 밖에 있는 공간 이해, 자기의 몸과 방향 관계 이해, 전후 · 좌우의 움직임

■ 평형성

평형성은 움직이면서 밸런스를 유지하는 동적 평형성과 정지한 상태에서 밸런스를 유지하는 정적 평형성으로 나누어진다. 동적 평형성에서는 평

균대 위를 걸어서 건널 수 있게 하고, 정적 평형성에서는 한발서기로 자기의 신체 밸런스를 잡을 수 있게 한다.

■ 조화

손과 눈, 발과 눈의 조화를 필요로 하는 움직임을 정확하게 무리하지 않고 할 수 있게 한다.

❸ 움직임 탐구 ······

» 움직임에 사용되는 신체부위의 이해 : 머리와 팔, 손, 다리, 발과 같은 기본적인 신체부위의 명칭과 부위를 확인시킨다.

» 자기의 공간 유지 : 구부리기, 펴기, 흔들기, 걷기, 한발뛰기, 점프 등의 움직임을 통해 신체를 둘러싼 공간에서 움직일 수 있는 것을 알게 한다.

» 공간을 이용한 안전하고 효율적인 움직임 : 여러 가지 방법으로 움직일 때 사람이나 사물에 대해 스스로 콘트롤할 수 있게 한다.

» 움직일 때의 공간이나 방향에 대한 개념 : 전후, 상하, 좌우의 이동을 중시한다.

» 정지상태에서 다른 신체부위의 밸런스를 잡기 : 여러 가지 자세로 신체를 지지하기 위해 시행착오를 거치는 학습과정을 중시한다.

» 물체를 조작하기 위한 여러 가지 방법을 발견 : 후프나 로프, 볼, 공기 등의 놀이도구의 창조적인 사용법을 중시한다.

» 다양한 이동운동스킬의 실천 : 걷기, 달리기, 뛰기, 한발뛰기, 갤러핑 등을 중시한다.

④ 리듬운동

아이들은 리듬운동을 하면서 신체사용법을 보다 잘 이해할 수 있게 된다.

» 음악이나 움직임에 맞춰 적절하게 박자를 맞춘다. 또한 춤을 추거나, 체조를 하거나, 간단한 움직임을 만든다.

» 같은 리듬이나 불규칙한 리듬의 운동 패턴, 축(軸)상의 리드미컬한 운동 패턴을 만든다. 예를 들면 같은 박자에서 뛰고, 불규칙한 박자에서 스킵을 한다.

» 분노·공포·즐거움 등의 정서를 리듬운동을 통해 표현한다.

» 리드미컬한 패턴을 창작한다.

⑤ 체조

» 통나무굴리기, 앞구르기, 뒤구르기, 밸런스운동과 같은 회전운동이나 스턴트 실천

» 달리기, 뛰어오르기, 한발뛰기, 점프, 갤러핑, 슬라이딩, 스키핑, 밸런스, 구르기 등의 간단한 움직임의 연속

» 매달리기, 지탱하기, 오르기, 내려오기 등 간단한 기계운동

⑥ 간이게임

간이게임 중에서 동작이나 지식, 협조능력을 적용하고 숙달하게 한다. 특히 원형으로 하는 게임, 흩어져서 하는 게임, 선을 사용하는 게임을 경

험시키고 기초적인 움직임을 몸에 익히게 한다. 공기놀이나 볼을 던지고 받는 조작능력을 몸에 익히게 함과 동시에 줄넘기나 천을 사용한 여러 가지 게임이나 운동을 경험시킨다. 그리고 간단한 게임을 하게 해서 협조성을 익히게 한다.

❼ 물놀이 · 수영 ┈┈┈┈┈┈┈┈┈┈┈┈┈┈┈┈┈┈┈┈┈┈┈┈┈┈┈┈┈┈

수중 이동운동이나 비이동운동 능력을 길러준다. 예를 들면 수중에서 지탱하기, 잠수하지 않고 떠 있기, 신체로 추진하기 등을 할 수 있게 한다.

» 수중 움직임을 연속적으로 할 수 있게 한다.
» 수중에서 신체가 어떻게 움직이는지를 이해할 수 있게 한다.

❽ 건강 · 체력만들기 ┈┈┈┈┈┈┈┈┈┈┈┈┈┈┈┈┈┈┈┈┈┈┈┈┈┈┈

건강이란 예기치 못한 상황이 일어나더라도 활기차게 하루하루를 살아가거나, 레저 시대에 운동에 참가하여 즐길 수 있게 하는 능력이다. 건강 면에서 좋은 수준에 도달하도록 설정된 각종 운동에 참가할 기회를 아이들에게 주는 것은 굉장히 중요한 일이다.

따라서 체력만들기를 지속할 수 있도록 흥미를 붙여주기 위한 연구가 필요하다. 나아가 지도자는 아이들에게 체격, 심장 · 호흡계통기능, 유연성, 근력, 지구력 등을 포함한 체력에 관련된 생리학적인 기초지식을 설명할 수 있는 실력을 기름과 동시에 자기의 생활 속에서 건강의 원리를 적용할 수 있도록 만드는 것이 바람직하다.

» 건강한 생활의 구성요소인 운동의 중요성을 확인하고 체력을 높이는 운동 실천

» 균형 있는 식사에 대한 기초지식

» 주요 신체부위나 기관의 작용과 위치 및 올바른 자세의 이해

» 운동놀이의 열중, 즐거움, 만족

제2장

유아기의 발달 특성

01 신체적 발달 특성

어린이들의 체구가 커졌다거나 몸놀림이 능란해졌다는 것을 발육, 발달, 성장 등의 단어로 표현한다. 그러나 그 단어들에는 각기 조금씩 다른 의미가 있기 때문에 가급적이면 다음과 같이 잘 구분해서 사용하는 것이 좋다.

» 발육은 형태적인 측면에서 양적으로 증대되었다는 뜻이다.
» 발달은 기능적인 측면에서 질적으로 향상되었다는 뜻이다.
» 성장은 발육과 발달을 아우르는 말이다.

키가 자랐다거나 몸무게가 무거워진 것은 발육이고, 힘이 세어졌다거나 (손)재주를 부릴 수 있게 된 것은 발달이다. 발육과 발달을 서로 관련지어서 표현하려고 할 때는 성장이라고 하는 것이 알맞다.

❶ 신체의 형태적 발육

출생 시 아기의 체중은 약 3kg이며, 남자아이가 약간 무거운 특징이 있다. 출생 시의 체중이 2.5kg 미만인 아기를 저출생체중아, 1kg 미만인 아기를 초저출생체중아라고 한다.

체중은 출생 후 3~4개월에 약 2배, 1년에 약 3배, 3살에 약 4배, 4살에 약 5배, 5살에 약 6배 증가한다. 신장은 약 50cm이며, 출생 후 3개월에 가장 많이 커서 약 10cm 자란다. 출생 후 1년간 24~25cm, 1~2세 사이에는 약 10m, 그 후 6~7cm씩 자라 4~5세에는 출생 시의 약 2배가 되며, 11~12세에는 약 3배가 된다.

스트라츠(Stratz)의 연구에 의하면 신체 부위별 균형은 그림 2-1과 같다. 아이는 성인을 축소한 것이 아니라 연령에 따라 신체 각 부위의 조화가 변화된다는 것을 알 수 있다. 예를 들어 머리 길이를 기준으로 하면 신생아의 신장은 등신(자기의 키와 같은 높이)의 4배, 즉 4등신이다. 2세에 5등신, 6세에 6등신, 12세에 7등신, 성인이 되면 거의 8등신이 된다.

유아는 연령이 적을수록 머리부위의 비율이 크고, 팔다리의 비율은 작다. 비율이 크고 무거운 머리가 신체의 최상부에 있기 때문에 전신의 무게중심이 그만큼 높아져 불안정하여 넘어지기 쉽다. 게다가 몸의 평형기능도 충분히 발달되지 않았기 때문에 앞으로 숙이는 자세를 했을 때 좀 더 균형을 잡기 어려워 머리부터 떨어져 얼굴을 다칠 위험성도 증대한다.

운동의 발달은 직립보행이 가능해질 때까지는 여러 가지 형태로 이동하고, 점점 팔이나 손이 쥐는 기관으로서 발달한다. 출생 후 3~4개월이 되

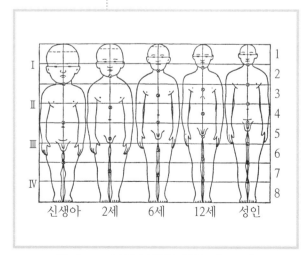

▶ 그림 2-1   신체 부위별 평형도(Stratz)

▶ 표 2-1 발육에 따른 상·하체의 비율 변화

연령	상체 대 하체의 비 (상체/하체)
출생 시	약 1.7배
6개월	1.6
1세	1.5
2	1.4
4	1.3
7	1.2
10	1.1
12~15	1.0

상체=머리~두덩뼈, 하체=두덩뼈~발끝

면 고개를 가누고, 5~6개월이 되면 뒤척임도 하게 된다. 7~8개월 무렵에는 혼자서 앉거나 배를 대고 기는 자세를 할 수 있게 되며, 9~10개월 무렵에는 네발기기가 가능해진다. 무언가를 잡고 서기, 도움 받아 걷기를 거쳐 1살 무렵부터 직립보행이 가능해진다. 이때 사람의 적극적인 역할이 있어야 정상적인 발달이 보장된다는 점을 잊어서는 안 된다.

그리고 초등학교에 입학할 무렵에는 인간이 평생에 걸쳐 행하는 일상적인 운동의 대부분을 몸에 익히게 된다. 이 시기는 강한 운동욕구는 있지만 잘 질리는 것이 특징이다.

❷ 신체부위별 발육과정 ···

발육 · 발달과정에서 신체 각 부위의 발육, 모든 내장기관의 기능발달은 결코 균형 있게 같은 비율로 증대하거나 진행되지 않는다.

스캐몬(Scammon)은 인간의 발육 · 발달과정에는 장기별 조직특성이 있다고 했다. 그는 근육 · 골격계통(일반형), 뇌 · 신경계통(신경형), 생식계통(생식형), 림프계통(림프형)의 발육모양을 그림으로 정리하여 인간의 신체발육 메커니즘을 이해하는 귀중한 자료를 제공해주었다(그림 2-2). 그림 2-2에서 100은 성인이 되었을 때 각 기관의 중량이다.

» 일반형……근육 · 골격계통, 호흡계통, 순환계통 등
» 신경형……뇌 · 신경계통, 감각기관 등
» 생식형……생식기관
» 림프형……호르몬이나 내분비샘 등

전체적으로 보면 뇌 · 신경계통은 출생 후 급속하게 발달하여 10세 전

후에는 성인의 90% 가까이 도달한다. 그러나 생식형은 발달이 가장 느리다. 림프형은 12세 전후에 성인의 2배까지 도달한 다음 조금씩 감소하고, 20세 무렵에 성인범위로 돌아간다.

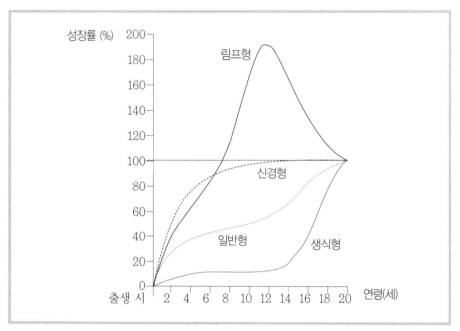

▶ 그림 2-2   Scammon의 발육곡선

■ 신경형과 일반형

유아기에는 신경형만이 성인의 80% 가까이 발달하지만, 일반형의 발육은 굉장히 느려서 청년기가 되어야 완성상태가 된다. 이 때문에 유아는 운동놀이 가운데 조정력은 장족의 진보를 나타내지만, 근력을 강하게 하거나 지구력을 늘리는 것은 느리다.

따라서 4~5세 아이가 '방 안에서 잡기놀이'나 '자전거타기 연습'을 할 때에는 엄마 못지 않은 진보를 나타내지만, '타이어옮기기'나 '매트옮기기'

는 거의 상대가 되지 않는다. 따라서 유아기에는 감각 · 신경계통의 기능을 중심으로 하는 조화나 민첩성 · 평형성 · 교치성 등을 기를 수 있는 운동을 먼저 시키면 좋을 것이다.

그런데 유아의 근육이나 골격 등의 발육량이 성인의 30% 정도라고 해서 근력을 쓰는 운동이 전혀 무의미하다고 생각하면 곤란하다.

유아의 일상생활에 필요한 팔 · 다리 · 허리 근력의 단련은 유아에게는 매우 중요한 일이다. 실제로 유아체육에서 운동기능을 향상시키려면 먼저 몸을 요령껏 움직이게 하는 데 초점을 맞추고, 근력 · 지구력은 운동놀이 중 부차적으로 길러지는 것으로 생각해야 한다.

운동기능은 감각 · 신경기능이나 근육기능 · 내장기능 등 모든 기능의 종합에 의해 그 힘이 발휘된다는 사실도 잊으면 안 된다.

■ 생식형

생식계통의 발육량은 유아기나 초등학교 저학년인 아동기에서는 성인의 약 10% 정도이며, 남녀차에 의한 영향은 적다. 따라서 남녀가 함께하는 운동을 해도 괜찮다. 만약 차이가 있다면 그것은 남녀차이라기보다는 오히려 개인차라고 보는 것이 타당하다.

그런데 스캐몬(Scammon)이 그림을 만든 때보다 오늘날 아이들의 발육속도가 앞서 있다는 사실을 잊어서는 안 된다.

■ 림프형

림프계통은 유아기에 급속히 발육하여 7살 무렵에는 이미 성인의 수준에 도달해 있다. 그리고 12세 전후에는 성인의 2배 가까이 된다.

저항력이 약한 유아를 외부의 세균침투로부터 지키기 위해 림프형이 급속하게 발달한 것으로 볼 수 있다.

나아가 성인에 가까워지면서 저항력이 강화되면 림프형은 쇠퇴해간다.

❸ 신장과 체중의 발육

자궁 속에서 난자와 정자가 만나서 아기가 수정되면 급격하게 발육 · 발달하기 시작한다. 엄마의 뱃속에 있는 약 10개월 동안이 일생을 통해서 가장 활발하게 발육 · 발달하는 시기이다. 그 결과 아기가 태어날 때의 신장은 약 50cm, 체중은 약 3kg이 된다.

태어난 후 약 1년 동안은 성장속도가 아주 빨라서 신장은 약 75cm, 체중은 약 9kg이 된다. 그 후부터는 비교적 안정적으로 성장하는데, 신장은 1년에 약 6cm, 체중은 1년에 약 2~3kg씩 성장한다.

여아는 약 10세, 남아는 약 12세가 되면 사춘기가 시작되고, 이후 약 3년 동안 급속하게 성장한다. 사춘기가 끝나는 시기(여아 15세, 남아 18세)가 되면 성장속도가 현저하게 느려지고, 성인이 되면 더 이상 자라지 않는다. 성인의 신장은 남자 약 172cm, 여자 약 160cm이고, 체중은 남자 약 65kg, 여자 약 55kg이다.

■ 발육 정도의 판정

어린이의 신체가 잘 자랐다든지 발육상태가 좋다든지 하는 말은 무엇을 기준으로 하는 말인가?

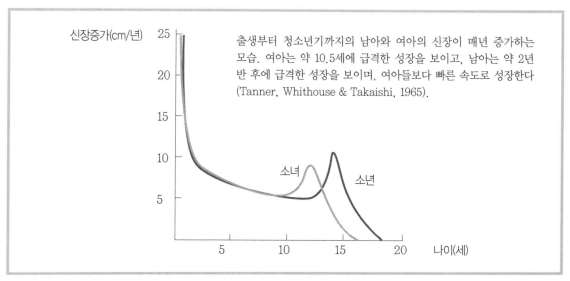

▶ 그림 2-3   연령별 신장의 증가(남/녀)

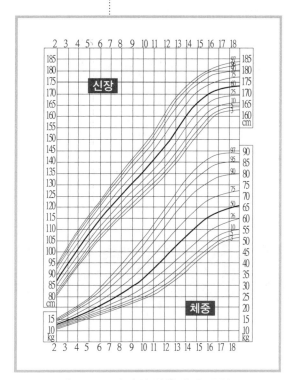

▶ 그림 2-4   남아의 발육발달 곡선

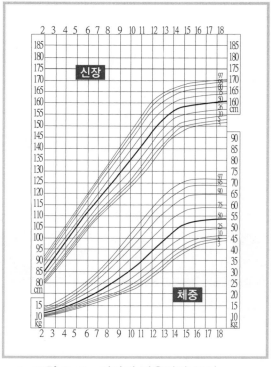

▶ 그림 2-5   여아의 발육발달 곡선

$$비체중 = \frac{체중(kg)}{신장(cm)} \times 100$$

$$비가슴둘레 = \frac{가슴둘레(cm)}{신장(cm)} \times 100$$

$$비앉은키 = \frac{앉은키(cm)}{신장(cm)} \times 100$$

$$신체충실지수 = \frac{체중(g)}{신장(cm)^3} \times 100$$

어린이의 발육상태를 알아보기 위해서 신장·체중·가슴둘레·앉은키 등을 측정해서 그 결과를 또래의 다른 아이와 비교해봤더니 신장은 1cm 더 크고, 체중도 1kg 더 무거웠다고 할 때 내 아이의 발육상태가 비교한 아이보다 더 좋다고 말할 수 있는가?

또 지난 해에 측정했던 결과와 비교해봤더니 1년 동안에 신장은 5cm, 체중은 1kg이 증가하였다고 할 때 내 아이의 발육상태가 좋다고 할 것인가? 나쁘다고 할 것인가?

그리고 같은 나이의 평균신장 또는 평균체중과 비교하면 '평균보다 신장이 큰 편이다' 또는 '평균보다 체중이 가벼운 편이다'라는 말 이외에는 할 수가 없다. 즉 내 아이의 발육상태가 좋은 편인지 나쁜 편인지 알 수가 없다.

이와 같은 문제를 해결할 수 있는 방법이 비체중, 비가슴둘레, 비앉은키, 신체충실지수 등을 계산해서 판정하는 방법이다.

위의 공식에 연령별 평균신장, 체중, 가슴둘레, 앉은키 등을 대입해서 계산한 것이 표 2-4에 있는 표준 비체중, 비가슴둘레, 비앉은키, 신체충실지수이다.

▶ 표 2-4   연령별 표준 비체중, 비가슴둘레, 비앉은키, 신체충실지수

항목 / 연령	남아				여아			
	비체중	비가슴둘레	비앉은키	신체충실지수	비체중	비가슴둘레	비앉은키	신체충실지수
3세	15.5	54.2	57.7	1.62	15.1	53.5	57.7	1.62
4	16.1	52.4	57.2	1.51	15.7	51.6	57.0	1.50
5	16.7	51.1	56.9	1.42	16.4	50.3	56.7	1.42
6	17.3	50.1	56.6	1.35	17.0	49.2	56.5	1.34

　　자신의 아이의 신장, 체중, 가슴둘레, 앉은키 등을 이용해서 비체중, 비가슴둘레, 비앉은키, 신체충실지수 등을 계산한 표 2-4의 표준치와 비교하면 아이의 발육상태를 정확하게 알 수 있다.

■ 근육의 발육

　　체중이 약 30kg이 되기 전까지는 전체 체중에서 근육량이 차지하는 비율은 거의 일정하다. 그러나 사춘기에 접어들면 남자는 체중 증가의 약 80%가 근육량의 증가에 의한 것인데 반하여, 여자는 약 40%가 근육량의 증가에 의한 것이고 나머지는 모두 지방량의 증가에 의한 것이다.

　　근육을 이루고 있는 근육섬유 중에서 서근섬유가 차지하는 비율과 속근섬유가 차지하는 비율은 사람마다 약간의 차이가 있지만, 약 1세 이후에는 그 비율이 거의 변하지 않는다. 그러나 발육시기는 조금 달라서 서근섬유는 주로 사춘기 이전에 발육되고, 속근섬유는 사춘기에 갑자기 발육된다.

■ 뇌신경계통의 발육

　　스위스의 동물학자 보르트만(Portmann)은 인간이 최상위의 고등동물인 것은 틀림이 없지만, 태어날 때의 의존성 측면에서만 보면 하등동물에 가깝다고 하였다. 대부분의 고등동물은 태어나자마자 뛰어다닐 수 있지만, 인간은 태어난 다음 적어도 1년 이상은 엄마의 도움없이는 생존할 수 없다.

　　그 이유는 뇌의 무게와 관련이 있다고 한다. 인간은 태아 시절에 뇌의 무게가 꽤 무거운데, 그 뇌를 지탱할 수 있는 체력을 엄마의 뱃속에서는 기를 수가 없기 때문에 '생리적인 미숙아'로 태어난다는 것이다. 그래서 생후 수년간은 태아기의 연장과 비슷하게 엄마의 도움이 필요하다는 것이다.

출생 시 뇌세포의 수는 약 140억 개이고, 생후에는 증가하지 않으며, 병이나 부상 때문에 파괴되더라도 재생되지 아니한다. 그에 반하여 일반 세포는 출생 시에 약 2조 개이지만, 분열과 재생을 반복해서 성인이 되면 약 50조 개로 늘어난다.

뇌중량은 출생 시에 350~400g으로 성인의 약 1/4이다. 그러나 생후 6개월이 되면 700~800g으로 급격하게 증가하여 성인의 약 1/2이 되고, 7~8세가 되면 성인의 약 95%에 도달한다.

뇌세포의 수가 증가하지 않는 데도 불구하고 뇌의 중량이 늘어나는 이유는 세포돌기가 늘어나고, 신경세포를 감싸고 있는 글리아(glia ; 신경교, 아교세포)가 늘어나기 때문이다. 세포돌기와 글리아가 증가하면 뇌세포 사이의 연락속도가 빨라지고, 연락망이 더 복잡하고 세밀하게 얽혀서 뇌기능이 발달된다.

■ 치아의 발육

출생 시에는 치아를 볼 수 없지만, 많은 치아가 출생 전부터 턱뼈에 자리 잡고 있다가 적당한 시기가 되면 차례대로 입 안으로 나오게 된다.

젖니가 나오는 시기는 아이들에 따라 일정하지는 않지만, 대략 6~8개월 정도에 아랫니가 앞에서 두 개가 나오고 돌 전후로 윗니가 4개 나온다. 그다음 아랫니 옆니가 나오고, 15~18개월에 대략 16개의 젖니가, 24개월 전후로 젖니의 큰 어금니가 나와 30개월 정도면 총 20개의 유치열이 완성된다. 젖니는 음식을 씹는 역할과 정확하게 발음을 하는 데 관여하고, 심미적으로도 중요한 역할을 한다.

젖니의 뿌리 아래쪽 턱뼈 속에는 뒤이어 나올 간니의 치아싹이 있고, 입안으로 나올 때까지 뼈 속에서 조금씩 성장한다. 젖니는 간니가 위치할

공간을 확보하고 나올 길을 안내하는 역할을 하고 빠지기 때문에 젖니의 관리가 중요하다.

❹ 신체의 기능적 발달 ··

태어나서 영아기→유아기를 거치는 동안 신체의 양적인 발육과 질적인 발달이 급속하게 일어난다.

이때 발달되어가는 기본원리는 다음과 같다.

■ 발달은 유전과 환경의 역동적인 상호작용을 통해서 이루어진다.

» 연령증가에 따라서 나타나는 발달적 변화는 유전적 요인과 환경의 상호작용에 의해서 이루어진다.

» 유전적 요인과 환경적 요인 중에서 어느 요인의 영향이 더 큰가는 오랫동안 논쟁하여 왔지만, 결론을 내리지 못하였다.

■ 발달은 일정한 순서와 방향성을 갖는다.

인간의 성장은 사람에 따라 약간씩 차이가 있다. 신체 각 부위의 발육이나 모든 내장기관의 기능 발달은 일정 속도로 진행·증대되는 것은 아니다. 그 과정에는 일정한 순서성이 있어서 결코 역행하거나 비약하지 않는다. 예를 들면 유아의 보행기능 습득 과정을 보면 출생 후 4개월 무렵에 우선 고개를 가누고 앉을 수 있게 되면서부터 8~10개월 무렵에 배를 대고 기기 시작하며, 그 후 걷게 된다.

이러한 순서에는 방향성이 있어서 '머리부터 신체 아래쪽으로', '중심부분부터 말초부분으로', '큰운동부터 미세운동으로'에 따라 진행한다(그림 2-6). 아이는 이러한 전신운동의 발달에 따라 시야가 넓어지고 행동범위를 넓히게 된다. 신체를 움직일 기회가 증가함으로써 뇌신경계통이나 근육·골격계통의 고차원적인 발달로 이어지고, 흥미나 호기심이 생겨 지적인 면이 향상된다.

▶ **그림 2-6** 발육·발달의 방향성

한편 발육·발달에는 일정한 연속성이 있으며, 급속으로 진행하는 시기와 완만한 시기, 또 정체하는 시기가 있다.

운동기능의 발달은 다음의 3가지 특징이 있다.

» 기능의 발달은 머리로부터 다리쪽으로 이동한다.

» 운동이 신체의 중추부로부터 말초부로 진행된다.

» 큰근육을 쓰는 큰 운동밖에 못하는 시기로부터 점차 분화되어 작은 근육을 정교하게 사용하는 미세운동이나 협조운동이 가능해지면서 수의운동이 가능해진다.

신체·운동도 일정한 방향성을 갖고 발달한다.

» **머리-꼬리의 법칙** : 머리 부분이 먼저 발달한 다음 하체 부분이 발달한다.

» **중심-말초의 법칙** : 신체의 중심부가 먼저 발달한 다음 말초가 발달한다. 또는 중추신경이 먼저 발달한 다음 말초신경이 발달한다.

» **전체-부분의 법칙** : 일반적이고 전체적인 행동에서 점차 분화되어 부분적인 행동으로 진전되어 나간다. 예 : 처음엔 소리에 몸 전체로 반응을 보이던 영아가 점차 고개만 돌릴 수 있게 된다.

■ 발달은 계속적인 과정이지만 발달의 속도는 일정하지 않다.

인간은 생명이 있는 한 계속적으로 발달하지만 신체부위 및 정신기능 측면에서 성장하는 시기 · 비율 · 속도 등은 일정하지 않다. 예 : 신장, 어휘력, 추리력 등

■ 발달에는 결정적인 시기가 있다.

특정한 시기에 어떤 기관이나 기능의 발달이 급격하게 이루어지는데, 그 시기를 '결정적 시기'라 한다. 결정적 시기의 발달은 환경의 영향을 크게 받는다. 이 시기에 적절한 자극이나 환경을 제공받지 못하면 원상회복이 불가능한 결함을 초래할 수도 있다. 예 : 신뢰감 형성

■ 발달에는 개인차가 있다.

발달은 일정한 순서에 따라 이루어지지만 발달의 속도와 형태에는 개인차 또는 성차가 있다. 예 : 성장이 끝나는 시기, 사춘기가 시작되는 시기

■ 발달의 각 영역은 상호 밀접하게 연관되어 있다.

신체적 발달, 인지적 발달, 정서적 발달, 사회적 발달, 성격 등은 각각 분리되어 이루어진 것이 아니라 서로 밀접하게 연관되어 있어서 총체적으로 발달한다.

❺ 반사와 발달

신생아가 생애 초기에 보이는 대부분의 운동행동은 반사행동으로 이루어져 있다(특정 자극에 대한 무의식적이고 자동적인 반응을 '반사행동'이라 한다). 대부분의 반사행동은 중추신경계통의 하부영역(예 : 척수)이 관장한다.

대부분의 반사행동은 연령이 증가함에 따라 뇌의 고등영역(예 : 대뇌겉질)이 발달하면서 의식적 운동으로 대치되거나 사라진다.

■ 신생아의 반사행동

신생아기부터 유아기에는 대뇌의 기능이 아직 발달되어 있지 않으므로 반사적인 행동이 대부분이다. 반사는 신경계통의 발달에 관련된다고 볼 수 있다. 반사가 출현해야 할 월령에 관찰되지 않거나 소실돼야 할 월령에도 잔존하는 경우에는 어떤 장애를 의심할 수 있다.

일반적인 영유아 검진에서는 반사의 발달속도를 체크하지 않지만, 운동발달에 지연이 생긴 경우에는 뇌성마비나 정신지체 등의 증상을 진단하는 참고자료로 활용한다.

➜ 신생아의 반사행동 역할

신생아의 반사행동은 다음과 같은 역할을 한다.

» 아기의 생존을 돕는 역할 : 젖찾기반사, 젖빨기반사, 쥐기반사 등은 기본적인 생명을 유지하고 보호할 수 있도록 도와주는 역할을 한다.

» 미래의 움직임을 예측할 수 있게 하는 역할 : 걷기반사는 미래의 걷기동

작을 연습하는 기회를 제공하는 것으로 볼 수 있다.

» 영아의 운동행동을 진단하는 역할 : 특정한 시기에 나타나는 반사는 적
당한 시기가 되면 수의적인 움직임으로 대치되면서 사라져야 한다.
그러므로 특정 반사의 출현과 소멸시기를 관찰하면 신경상태의 이상
유무를 예측할 수 있다. 모로반사(moro reflex)나 비대칭목경직반사
가 나타나지 않거나 소멸되지 않고 지속되면 신경계통의 이상을 의
심해봐야 한다.

» '신생아의 모든 반사행동의 기능과 기전을 일률적인 개념으로 이해할
수는 없다'는 것이 일반적인 정설이다.

신생아의 반사행동은 크게 원시반사, 자세반사, 이동반사로 나눌 수 있
다. 또한 반사행동과 유사한 스테레오타입 행동도 있다.

➜ 원시반사

신생아기에 특징적으로 나타나고, 성장 발달과 함께 소실되는 반사를
원시반사라고 한다. 이 반사는 생명유지와 환경적응을 위한 선천적인 반
응이다. 대표적인 원시반사는 구순탐색반사(물건을 입술의 중앙으로 빠는
반사)·흡철반사(입술에 무언가 닿으면 반사적으로 빠는 반사)·파악반
사(손바닥에 자극을 주면 손가락을 굽혀 물건을 움켜쥐는 반사)·모로반
사(Moro reflex ; 발을 벌리고 손가락을 펼쳤다가 무엇을 껴안듯이 몸쪽으
로 팔과 다리를 움츠리는 반사)·보행반사(서서 편평한 것 위를 디디고 앞
으로 기울임으로써 걷는 동작이 만들어지는 반사) 등이 있다. 원시반사는
대부분 뇌의 발달과 함께 생후 3~4개월 무렵까지 소실되어 간다.

원시반사는 영아의 생존 또는 생명보호와 관계가 있다. 대부분의 원시
반사는 태내에서부터 나타난다.

» **쥐기반사** : 출생(태내)~4개월. 손바닥에 자극을 주면 움켜쥔다. 1세에도 나타나면 신경적인 문제를 의심해야 한다.

» **젖찾기반사** : 출생~4개월. 뺨을 건드리거나 치면 자극 방향으로 고개를 돌린다. 젖을 찾기 위한 반사행동이다.

» **젖빨기반사** : 출생~3개월. 입술 근처를 가볍게 자극하면 자동으로 머리를 돌리고 입술을 갖다 대고 빤다. 3개월 이후는 자의적인 동작으로 전환된다.

» **모로반사** : 생후 4~6개월 까지 지속. 큰소리나 갑작스런 위치 변화가 생기면 팔을 벌려서 끌어안을 것 같은 동작을 취한다. 출생 시 모로반사 행동이 없으면 중추신경계통의 장애를 추측하고, 소멸 시기 후에도 남아 있으면 감각운동 장애를 추측할 수 있다.

» **대칭목경직반사** : 생후 6~7개월 사이. 목을 뒤로 젖히면 팔의 신전+다리의 수축, 목을 앞으로 굽히면 팔 수축+다리 펴기. 대칭목경직반사가 지속적으로 나타나면 뻗기ㆍ잡기ㆍ앉기ㆍ걷기 등의 발달을 저해한다.

» **비대칭목경직반사** : 생후 4개월까지 유지. 누워 있는 상태에서 머리를 한쪽 방향으로 돌리면 같은 방향의 팔과 다리를 펴고, 반대편 팔과 다리를 굽힌다. 6개월 후 지속적으로 나타나면 척추가 휘는 등 기형적으로 발달할 위험이 있다.

» **발바닥오므리기반사** : 출생~걷기 시작할 때까지. 발가락과 발바닥의 연결부위를 손가락으로 자극하면 발가락을 오므린다.

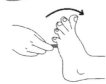

» **바빈스키반사** : 출생~4개월. 발바닥에 뾰족한 것이 닿거나 손가락으로 발바닥을 자극하면 발가락을 쫙 편다. 생후 6개월 후에도 지속적으로 나타나면 신경계통 이상을 추측할 수 있다.

➜ 자세반사

자세반사는 자세를 유지하기 위하여 나타나는 반사행동이다.

» **중력반사** : 영아가 머리를 세워서 숨 쉬는 것을 가능하게 한다. 앉거나 몸을 뒤집는 행동에 도움이 된다.

» **낙하반사** : 전방지지는 4개월 이후, 측면지지는 6개월 이후, 후방지지는 10개월 이후. 영아를 들어올리고 있다가 예고없이 아래로 내리면 다리를 펴고 발을 가쪽으로 벌리면서 손을 짚는다.

» **미로반사** : 생후 2개월~1세. 신체가 기울어지면 반대쪽으로 머리를 움직인다. 반사가 잘 나타나지 않으면 안뜰기관이상을 추측할 수 있다.

» **턱걸이반사** : 생후 3개월~1년. 상체를 세운 상태로 앉아 있는(혹은 누워 있는) 자세에서 손을 잡고 앞뒤로 움직이면 팔을 굽히거나 편다.

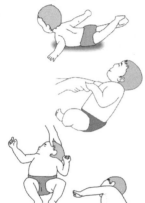

» **머리-신체일치반사** : 생후 2~6개월. 반듯이 누운 상태에서 머리나 몸통을 한쪽 방향으로 돌리면 몸통이나 머리가 같은 방향으로 돌아간다. 구르기 동작의 기초

➜ 이동반사

» **기기반사** : 출생~4개월. 배를 바닥에 대고 엎드린 상태에서 양쪽 발바닥을 번갈아 건드리면 기기와 같은 형태로 팔과 다리가 반응한다. 기기행동의 기본

» **걷기반사** : 생후 몇 주~5개월. 바로 세운 상태에서 발바닥이 표면에 닿으면 걷기 동작과 유사한 반응을 한다. 걷기에 영향

» **수영반사** : 출생~4개월. 물속에 몸이 잠기도록 하면 팔과 다리가 수영동작을 한다. 잠수시키면 숨정지반사에 의해서 호흡을 멈춘다.

➔ 스테레오타입 행동

반사행동은 자극에 의해서 나타나지만 스테레오타입 행동은 특정한 자극없이도 발생한다는 점이 다르다. 스테레오타입 행동은 차기나 흔들기와 같이 반복적이고 정형화되어 있는 행동이라는 특징이 있다.

영아 전체 움직임의 약 40%가 스테레오타입 행동이고, 중추신경계통에서 제어하며, 생후 6~10개월경에 가장 활발하게 나타난다.

» 발과 다리의 스테레오타입 행동 : 생후 4주~32개월(6~8개월 일 때에 가장 활발하다). 발과 다리의 차기 동작과 관련이 있다.

» 몸통의 스테레오타입 행동 : 발과 다리의 스테레오타입 행동보다 늦게 출현한다. 몸통을 앞뒤로 흔드는 동작과 관련이 있다.

» 손 · 팔 · 손가락의 스테레오타입 행동 : 34~42주. 물체를 잡고 있는 상황과 잡고 있지 않은 상황 모두에서 나타난다. 영아의 기기, 잡기, 흔들기 등과 관계가 있다.

■ 신경기능의 발달

어린아이가 모래장난을 하든 공기놀이를 하든 놀이에 필요한 동작들을 전체적으로 지배하는 것은 대뇌를 움직이게 하는 신경계통의 작용이다.

신경계통 중에서 대뇌 · 소뇌 · 뇌줄기 · 척수 등을 '중추신경계통'이라 하고, 척수보다 하위에 있는 신경을 '말초신경'이라고 한다. 운동신경은 척수에서 나와서 뼈대근육까지 가는 신경이므로 말초신경에 속한다.

중추신경계통 중에서도 기관에 따라 발달하는 시기와 정도가 서로 다르다. 대뇌는 발달이 가장 늦고, 척수는 가장 빨리 발달한다. 이것은 분화된 역할을 수행하는 기관일수록 발달이 늦다는 것을 뜻한다.

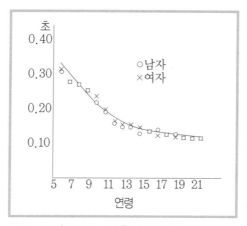

▶ 그림 2-7 반응시간의 발달

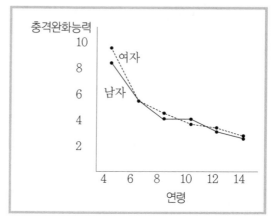

▶ 그림 2-8 충격완화능력의 발달

　　신경기능의 발달은 유아기에 가장 현저해서 민첩성(지각운동을 빨리 하는 것)과 교치성(몸놀림을 교묘하게 하는 것)이 급속하게 발달한다. 그림 2-7은 연령별로 반응시간이 변화하는 것을 나타낸 그림이다(민첩성의 발달을 알아볼 수 있다). 그림 2-8은 책상 위에서 땅바닥에 깔아놓은 널빤지 위로 사뿐히 뛰어내릴 때 충격을 완화시킬 수 있는 능력을 측정하여 그림으로 나타낸 것이다(조정력의 발달을 알아볼 수 있다).

　　그림 2-7을 보면 5살 어린이의 신경기능이 성인의 2/5~1/3 정도의 수준이라는 것을 알 수 있다. 5살 어린이의 체중이 성인의 약 1/3이라는 것을 감안하면 신경기능이 몸의 크기보다 약간 빠르게 발달한다는 것을 알 수 있다.

　　한편 평형성은 신경계통의 발달 중에서 비교적 늦게 완성된다. 평형성과 민첩성 사이에는 상관계수가 상당히 크다. 앞에서 발육곡선을 배울 때 신경계통의 발육이 유소년기에 지극히 컸다는 것은 신경계통의 기능이 발달할 수 있는 기반을 다진 것이라고 볼 수 있다. 그러므로 유소년기에는 가급적 많은 운동경험을 하게 해서 민첩성·교치성·평형성 등을 몸에 익힐 수 있게 해야 한다.

■ 근육기능의 발달

신체의 운동은 뼈에 붙어 있는 근육이 신경의 명령에 따라 활동함으로써 이루어진다. 발육과 함께 근육의 길이와 두께는 성장하지만, 근육을 이루고 있는 근육섬유의 수는 변하지 않는다. 근육섬유의 수가 그대로 있더라도 근육의 두께가 두꺼워질 수 있는 이유는 근육섬유 사이에 있는 결합조직과 근수축에 필요한 화학물질의 양이 증가하기 때문이다.

뼈대근육에는 운동신경의 말단이 들어 있다. 근육이 힘을 내려면 중추신경계통에서 내린 근수축 명령이 근육에 도달해서 근육섬유를 수축시켜야 한다. 따라서 근력은 근육과 신경의 합동작전에 의해서 나오는 것이다.

그러므로 큰 근력을 내려면 근육에 있는 대부분의 근육섬유들을 수축시켜야 하고, 그러려면 놀고 있는 근육섬유가 없게 만들어야 한다. 많은 근육섬유가 수축하게 하려면 중추신경계통에서 오는 신경충격의 양이 많아져야 할 뿐 아니라 끊임없이 신경충격이 도달해야 한다.

이것은 어린이의 근력이 작은 이유가 어린이의 근육량이 적다는 것뿐 아니라 어린이는 집중적으로 신경지배를 하지 못한다는 것도 의미한다. 근력의 크기는 보통 악력 · 등근력 · 다리근력 등으로 측정하는데, 그 힘들의 발달곡선은 매우 유사하다.

그림 2-9는 3~6세 유아의 악력 변화를 그린 것이다. 그림을 보면 유아기에는 악력이 비교적 완만하게 발달해서 급속하게 발달하는 신경계통과는 다른 양상을 보인다는 것을 알 수 있다.

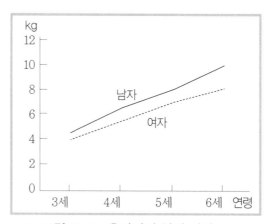

▶ 그림 2-9 유아기의 악력 발달

앞에서 유아의 신경계통의 기능은 성인의 2/5~1/3 이나 되어서 체중의 증가보다 더 빠르다고 하였는데, 근력은 체중보다 더 느리게 발달한다. 따라서 유아가 자전거나 스키를 연습하면 부모 못지 않게 발전하지만, 물통의 물을 운반하는 데에는 전혀 도움이 되지 못한다.

■ 호흡기능의 발달

어린이들을 대상으로 허파(폐)활량을 측정하면 어린이들의 특성 때문에 신뢰도에 문제가 생기기 때문에 측정하지 않는 것이 좋다. 5세 어린이들을 연습시켜 측정한 허파활량의 평균치는 약 900cc이다. 그것은 성인 남자의 약 4,000cc, 성인 여자의 약 3,000cc와 비교했을 때 1/3보다 약간 적은 편이어서 체중의 1/3보다 약간 느리게 발달하는 것이다.

한편 호흡수로도 호흡능력을 알아볼 수 있다. 안정시호흡수는 신생아가 분당 50~60회, 1세 어린이가 30~35회, 2세 어린이가 25~30회, 5세 어린이가 20~25회, 성인이 16~18회이다. 이 때문에 육아에 익숙하지 못한 젊은 엄마가 아기 옆에 누워서 아기의 호흡에 맞춰서 숨을 쉬다가 고통스러워 하는 경우도 볼 수 있다.

정상아는 호흡수와 맥박수는 일정한 비율을 유지한다. 호흡수 : 맥박수 = 1 : 4인데, 그 비율은 어른도 같다.

■ 순환기능의 발달

혈액은 심장의 펌프작용에 의해서 일정한 시간 간격을 두고 어떤 양이 한꺼번에 박출된 다음 혈관을 통해서 전신을 순환한다. 체구가 커질수록 펌프력도 강력해져야 하기 때문에 심장의 무게가 증가한다.

심장의 무게가 증가하는 것은 심장을 구성하는 심장근육이 발육되기 때문이다. 심장근육이 발육되면 수축력이 강해지고, 동맥혈압이 높아져서 전신의 혈액공급이 원활해진다. 혈액공급이 원활할수록 운동하는 데에 점점 더 유리해진다.

동맥혈압에는 심장이 수축할 때의 최고혈압과 심장이 이완할 때의 최저혈압이 있는데, 두 가지 혈압 모두 나이와 함께 증가한다.

혈액을 박출하기 위해서 심장이 1분 동안에 수축하는 횟수를 심박수(또는 맥박수)라 하고, 심장이 1회 박동할 때 밀어내는 혈액의 양을 심박출량이라고 한다. 어린이는 심박출량이 적기 때문에 그것을 보완하기 위해 심박수가 어른보다 더 많다.

표 2-5는 유아의 안정시심박수를 나타낸 것이다. 그런데 아주 사소한 일이 있어도 심박수가 쉽게 변화한다. 예를 들어 체온이 1도만 올라가도 심박수는 15~20회 증가하고, 운동을 하면 더 많이 변한다.

그림 2-10은 여러 학자들이 수행한 실험연구의 결과를 활용하여 유아들이 이런저런 운동을 하기 직전 안정시심박수와 운동을 끝낸 다음 회복기의 심박수를 비교해서 그린 그림이다.

그림에서 운동을 하기 직전 안정시심박수는 무조건 100이고, 운동이 끝난 직후부터 30초 동안, 1분후부터 1분 30초까지, 2분후부터 2분 30초까지의 심박수는 그래프로 표시하였다. 변화지수는 안정시심박수를 100%로 보았을 때 당시의 심박수가 몇 %인지를 나타내는 숫자이다.

▶ 표 2-5   유아의 안정시심박수

연령	신생아	1세	2세	3세	4세	5세	성인
안정시 심박수	120~160	120~140	110~120	100~110	95~105	90~100	60~70

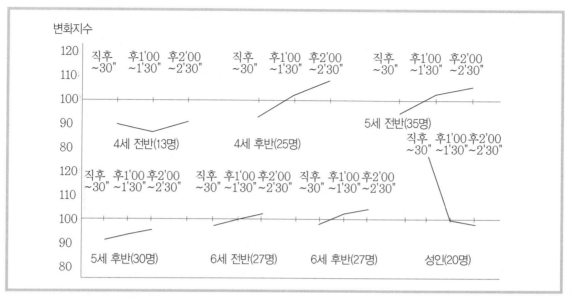

▶ 그림 2-10 20m 달리기 전과 후의 심박수 변화

  그림에서 유아들은 20m 달리기를 한 직후의 심박수가 안정시심박수보다 오히려 적은 서맥현상을 보인다(성인은 운동 직후의 심박수가 가장 많다). 가장 어린 나이(4세 전반)에는 서맥현상이 뚜렷하지만, 6세 후반이 되면 서맥현상이 거의 없어져서 성인의 형태와 비슷해진다. 즉 운동을 한 후에 심박수가 변화하는 모양이 유아의 연령에 따라 다르다. 그림에는 없지만 운동의 강도에 따라서도 심박수가 변하는 모양이 약간 다르다.

  따라서 유아에게는 갑자기 운동을 시켰다가 갑자기 운동을 멈추게 해서는 안 된다는 것을 명심해야 한다. 어쨌든 유아들은 운동에 대한 적응능력이 성인보다 아주 좋지 않다는 것을 알아두어야 한다.

■ 에너지 대사능력의 발달

  인간은 살아 있는 동안에는 일을 전혀 하지 않고 누워 있어도 일정량의 에너지를 소비한다. 그 이유는 체온을 36.5℃~37℃로 유지하고, 신체 각 기관의 생존할 수 있는 최소 한도의 에너지를 공급해야 하기 때문인데, 그것을 '기초대사량'이라 한다. 즉 기초대사량은 기본적인 유지비와 비슷한 성격의 에너지 대사량이다.

일을 하거나 운동을 하려면 기초대사량 이외에 추가적인 에너지가 필요한데, 그것을 '작업대사량'이라고 한다. 그러므로 사람에게 필요한 열량은 기초대사량에 작업대사량을 합한 열량이다.

에너지 대사량은 산소소비량을 측정하여 간접적으로 계산하고, 기초대사량의 크기는 대략 피부 표면적의 크기에 비례하는 것으로 알려져 있다. 어린이는 성인보다 체구가 작기 때문에 기초대사량의 크기가 작을 수밖에 없다. 따라서 어린이는 어른보다 음식을 적게 섭취해도 된다.

표 2-6은 1일대사량의 평균치를 연령별로 정리한 것이다. 표에서 어린이들의 1일대사량과 어른의 1일대사량은 그렇게 큰 차이가 없다는 것을 알 수 있다. 예를 들어 20세 여성은 1,153kcal인데, 6세 여자 어린이는 866kcal이다.

이것은 체중이 20세 여성의 약 1/3밖에 안 되는 여자어린이가 먹는 것은 약 2/3를 먹어야 된다는 것을 뜻한다. 이미 설명했던 근력으로 보면 근력은 성인의 약 1/6에 불과한데 먹는 것은 2/3를 먹어야 된다.

위에서 살펴본 바와 같이 대사량의 측면에서 보면 어린이들은 모두 대식가인 셈이다. 그 이유는 어린이들은 어른보다 더 많이 움직이기 때문에 더 많은 에너지를 필요로 한다. 만보계로 측정한 결과를 보면 어린이들이 어른보다 약 2배를 걷는다고 한다.

그리고 어린이들의 대사량은 개인차가 아주 큰 것도 특징 중의 하나이다. 4~5세의 어린이 중 아주 활발한 아이가 얌전한 아이보다 약 2배의 에너지를 필요로 하고, 보통아이는 얌전한 아이보다 약 1/3의 에너지가 더

▶ 표 2-6   평균 기초대사량(1일대사량)

나이(세)	남자	여자	나이(세)	남자	여자
신생아	137	135	13	1,227	1,150
0	410	385	14	1,320	1,119
1	597	549	15	1,364	1,178
2	722	663	16	1,391	1,114
3	796	740	17	1,400	1,172
4	848	788	18	1,402	1,159
5	876	824	19	1,401	1,158
6	921	866	20	1,403	1,153
7	965	896	21~30	1,406	1,134
8	1,000	927	31~40	1,398	1,096
9	1,035	956	41~50	1,365	1,078
10	1,064	999	51~60	1,301	1,055
11	1,105	1,053	61~70	1,240	1,020
12	1,160	1,111	71 이상	1,160	975

필요하다.

■ 수면(睡眠)의 발달

수면은 보통 렘수면과 비렘수면으로 나눈다.

렘수면은 영어로 'Rapid Eye Movement(REM) sleep'이다. 안구가 빠르게 운동하고 있는 상태로 깨어 있는 것에 가까운 얕은 수면이 렘수면이다. 렘수면 동안에 꾸는 꿈은 눈에 보이는 듯이 선명하다.

한편 비렘수면은 영어로 'Non-Rapid Eye Movement(N-REM) sleep'이다. 비렘수면은 정말로 잠을 자는 시간으로, 잠의 깊이에 따라서 4단계로 나눈다.

신생아는 하루의 약 2/3 정도 잠을 자는데, 그중에 약 절반이 렘수면이다.

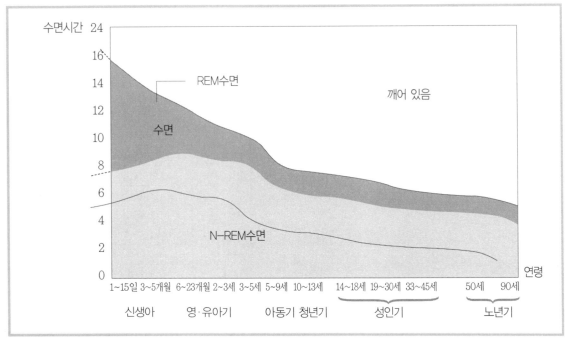

▶ **그림 2-11 연령에 따른 수면의 변화**

그림 2-11은 렘수면의 양이 나이에 따라 변하는 것을 나타낸 것이다. 그림을 보면 신생아에서 유아로 갈수록 전체적인 수면시간이 줄고, 렘수면시간도 준다. 이때 수면시간 감소분의 대부분이 렘수면시간의 감소라는 것을 알 수 있다.

5~9세가 되면 렘수면시간이 성인과 거의 같아져서 렘수면시간은 더 이상 줄지 않는다. 성인의 렘수면시간은 총수면시간의 약 20~25%인데, 어떤 이유 때문에 렘수면을 덜 하면 다음날 렘수면시간이 늘어나서 모자라는 렘수면시간을 보충하는 것으로 알려져 있다.

표 2-7과 그림 2-12는 성인이 잠을 자는 동안 렘수면과 비렘수면이 약 90분을 주기로 교대로 나타내고, 한 주기에서 렘수면시간이 약 20~30분이라는 것과 수면단계별 뇌파의 활동상태를 표시한 것이다. 그림과 표를

보면 수면의 주기마다 모두 4단계의 수면까지 도달하는 것이 아니라는 것
도 알 수 있다.

▶ 표 2-7   수면단계별 뇌파의 활동상태

수면단계	뇌파의 활동상태
깨어 있음	알파(고도의 각성상태), 베타(평온한 상태)
렘수면	베타 + 쎄타
1단계	쎄타파가 많음
2단계	K- 복합파
3단계	델타파
4단계	델타파가 많음

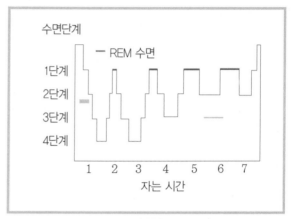

▶ 그림 2-12 수면단계별 수면시간

02 인지적 발달 특성

❶ 지능의 발달

일반적으로 동물들은 주위 환경의 변화에 순응해서 살아가지만, 인간
은 환경변화를 어떻게 해결할 것인가를 적극적으로 생각해서 좀 더 잘 적
응해나갈 수 있는 방법을 찾는다.

이와 같이 이런저런 문제에 봉착했을 때에 그 문제를 해결해 나갈 수
있는 능력을 '지능'이라고 한다. 그러므로 지능은 무엇을 외워서 아는 것
과 같은 단순한 지식과는 다르고, '가지고 태어난 지식'이라고도 한다. 지
능은 출생 후에 받는 교육 등에 의해서 발달되어간다.

1세가 되어서 걷기 시작하면 생활공간이 갑자기 비약적으로 확대되기 때문에 지능도 급속도로 높아진다. 그러나 모든 행동이 한번도 겪어보지 못한 것이기 때문에 실패가 연속되어 아무것도 방심할 수 없는 시기이다.

2세가 되면 달릴 수 있을 정도로 행동능력이 좋아졌을 뿐만 아니라 지능도 한층 더 높아진다. 그림책을 보는 것뿐만 아니라 연필로 그리거나 글씨를 쓸 수도 있다. 음악을 듣는 것뿐만 아니라 리듬에 맞추어서 몸을 움직이기도 하고, 노래를 부르기도 한다. 노래의 리듬이나 가사의 특징을 재빠르게 알아차려서 그 부분만을 큰 소리로 부르기도 하고, 가수의 행동을 따라하기도 한다. 수동적인 태도에서 능동적인 태도로 변해가는 시기이다.

3세가 되면 지능이 진일보하고, 사물의 이름도 잘 생각해낸다. 언어적인 지시에 반응할 수도 있고, 장난감 뒤처리도 할 수 있다. 자신의 이름과 친구의 이름에 성을 붙여서 부를 수 있게 되고, 자신과 친구가 남자인지 여자인지 성별도 잘 구분할 수 있게 된다. 형태에 대한 개념이 상당히 명확해져서 원, 삼각형, 사각형을 구분하고, 종이에 그릴 수도 있다. 진흙놀이, 그네뛰기, 미끄럼틀, 철봉 등에서 노는 데에 흥미를 갖는다.

4세가 되면 지능이 더욱 더 발달하여 정사각형을 제법 그럴듯하게 그릴 수 있게 된다. 놀이를 하는 중에 물건의 수를 계산할 수도 있게 된다.

5세가 되면 지능이 상당히 높은 수준에 도달하고, 남의 말이나 동물의 소리를 흉내낼 수도 있으며, 피아노를 치고, 장난감을 조립할 수도 있다. 야외에서 게임을 하는 등 집단적인 놀이를 할 수 있고, 놀이 친구 중에서 누가 좋은지 확실히 대답할 수 있을 정도로 판단력이 생긴다.

❷ 감각의 발달

0~6세는 지적 활동의 발달에 필요한 일정한 능력을 습득하기 위한 감

각적 활동이 매우 민감한 시기이다. 감각기능은 정신·신경 발달 중에서 가장 빨리 완성되는 기능이다.

» 피부감각(촉각, 습도감각, 통각)은 출생 시 가장 강하게 발달된 감각 인데, 입술·혀·귀·이마 등이 제일 예민하다.

» 미각은 태어날 때부터 맛을 구별할 수 있어서 단것은 좋아하고, 쓰거나 신것은 삼키지 않는다.

» 후각은 태어날 때에는 잘 발달되어 있지 않으나, 모유에 대해서는 반응을 보인다.

» 청각은 태내에 있을 때부터 발달하는 것이 증명되어 모태 내에서부터 육아를 시작해야 한다고 한다. 신생아가 들을 수 있는 소리의 크기는 20~30데시벨로 성인의 5~10데시벨보다 높다. 즉 신생아는 큰 소리여야 들을 수 있다.

» 시각은 감각 중 가장 늦게 발달하며, 출생 시에는 두 눈의 협동이 잘 안 되어 동일하게 움직이지 못하기 때문에 혹시 내 아이가 사시(사팔뜨기)가 아닌지 걱정하게 된다(생리적 사시). 생후 1~2주 이내에 시선을 고정시킬 수 있게 되고, 생리적 사시는 생후 6개월 전후에 사라진다.

» 성장 과정의 아이들은 운동을 통해서 중력감각을 발달시킨다. 머리를 들어올리면서 중력이 머리를 무겁게 한다는 것을 느끼고, 새로운 움직임을 시도할 때마다 중력의 작용은 절대 변화시킬 수 없음을 배운다.

» 몸을 움직이는 것이 항상 즐거운 것은 아니다. 일부 아이들은 차를 타거나 배를 타면 멀미를 하게 되며, 2세 미만의 아이들은 멀미를 하지 않고, 3세가 지나야 멀미가 나타나며, 12세 이후로는 점차 줄어든다. 이는 2세 이전까지는 전정기능이 아직 미숙하다는 것을 의미한다. 8세가 되면 평형감각(전정기능)이 거의 완성되어 한 발로 균형을 잡을 수 있게 된다.

일상생활에서는 하나의 감각기관이 독립적으로 발달하거나 작용하는 것이 아니라, 여러 개의 감각기관이 서로 영향을 주고받으며 전체적으로 통합되고 발달된다. 그러므로 유아의 감각기관이 형성되고 발달하는 시기에 감각이 잘 발달되도록 도와주어야 한다는 것이 몬테소리 감각교육이다.

❸ 인지발달의 이론

인지발달이론(Theory of cognitive development, 認知發達理論)은 심리학자이면서 생물학자였던 피아제(Piaget)가 인간의 지적 능력은 유기체가 환경에 적응해가는 것이라고 주장한 이론이다.

피아제는 아동기가 사람의 발달 과정에서 핵심적이고 중요한 역할을 한다고 생각했고, 신체적 성숙과 환경적 경험으로부터 비롯되는 정신적 과정의 점진적인 재조직이 인지발달이라고 생각하였다. 즉 인간의 지적 능력은 타고난 것이지만, 그것이 주어진 환경에 적응하는 것이 인지의 발달이라는 것이다.

이것을 설명하기 위해서 피아제는 도식과 적응이라는 개념을 설정했다.

» 도식 : 도식은 사물이나 사건에 대한 전체적인 윤곽을 말한다. 예를 들어 "바퀴가 2개이고, 사람이 타고 다니는 것이 자전거이다."라고 배웠다고 하면 그 아이는 "바퀴가 2개이고, 사람이 타고 다니는 것은 자전거이다."라는 도식을 갖게 된다. 빨기나 잡기와 같은 몇 가지 도식은 태어날 때 이미 가지고 태어나지만, 대부분의 도식은 적응과정을 통해서 새로운 도식을 개발하거나 기존에 있던 도식을 변형시키면서 발전하게 된다.

» 적응 : 적응은 환경과의 상호작용을 통해서 새로운 도식을 만들거나

기존의 도식을 변화시키는 것을 의미한다. 이것은 동화와 조절이라는 두 가지의 상호보완적인 과정을 통해서 이루어진다.

» 동화 : 자전거라는 도식을 가지고 있는 아이가 다음날 오토바이를 보았다고 하자. 그러면 자신이 가지고 있던 자전거라는 도식과 비교해서 같으므로 "야! 자전거다!"라고 소리치는 것이 '동화'이다.

» 조절 : 그런데 엄마가 "아니야! 저것은 오토바이야!"라고 가르쳐주면 아이는 일시적으로 혼란에 빠진 다음 자전거와 오토바이의 차이점을 찾기 시작한다. 그 결과 "자전거는 바퀴가 2개이고, 페달을 밟으면서 타고 다니는 것이다."는 도식과 "오토바이는 바퀴가 2개이고, 엔진의 힘으로 달리는 것이다."라는 도식이 생기는 것처럼 기존의 도식을 수정하거나 조절해서 새로운 도식을 만들어내는 것이 '조절'이다.

- 위의 예에서 만약 오토바이를 보지 못했으면 새로운 도식이 생기지 않았을 것이다. 그러므로 동화와 조절이 잘 이루어질 수 있도록 어린이들에게는 많은 것을 보고, 듣고, 경험할 수 있게 하는 것이 중요하다.

- 피아제는 하나의 대상을 기존의 도식에 동화시키기 위해서는 그 대상의 특징을 설명하고 조절해야 하기 때문에 동화와 조절은 동전의 양면과 같아서 독단적으로 존재할 수 없다고 하였다.

- 인지기능의 발달은 동화와 조절이라는 두 기능 사이의 평형화를 증대시키는 것이고, 새로운 도식의 수가 점점 많아져서 도식들을 조직화하는 것이 바로 인지적 발달이다.

» 조직화 : 조직화는 유기체가 현재 가지고 있는 도식을 새롭고 더욱 복잡한 도식으로 변화시키는 과정을 말한다. 오토바이와 자전거를 구분할 수 있게 된 아이는 '탈 것'이라는 범주 안에 오토바이 · 자전거 · 버스 · 승용차 · 배 · 비행기 등을 포함시키고, 그 범주 안에 있는 것들

을 서로 구분할 수 있도록 만드는 것을 '조직화'라고 한다.

❹ 인지발달의 단계 ······

■ 대상의 영속성

물체 또는 대상이 시야에서 사라져도 그 물체가 계속 존재한다고 믿는 것을 '대상의 영속성'이라고 한다. 다음은 피아제가 한 유명한 실험이다.

생후 6~7개월 된 아이가 보는 앞에서 장난감을 천천히 이불 밑으로 숨기면 아이가 그 과정을 열심히 들여다 보았더라도 장난감을 다시 찾지 않는다. 이것은 이 시기에 있는 아이들은 눈앞에서 사라지면 그 물체는 존재하지 않는다고 믿기 때문이다.

그러나 10개월쯤 된 아이는 물체가 시야에 사라져도 계속해서 존재한다고 믿기 때문에 장난감을 다시 찾는다. 즉 대상의 영속성은 처음부터 갖고 태어나는 능력이 아니라 9~10개월이 되어야 (성숙되면서) 생기는 능력이다.

피아제는 이처럼 특정 능력은 특정한 때가 되어야 발달한다고 주장하였다. 그는 인간의 인지발달은 4단계를 거치게 되고, 각 단계들은 질적으로 차이가 있기 때문에 정해진 순서대로 진행되며, 단계가 높아질수록 복잡성이 증가된다고 하였다.

■ 감각운동기(0~2세)

영아가 손가락이나 물건을 자신의 입에 넣고 빼는 등 감각(시각, 청각, 촉각…)과 운동기술을 사용해서 외부 환경과 상호작용을 한다는 의미에서

'감각운동기'라고 이름 붙였다. 이 시기 동안에 대부분의 반사행동이 없어지고, 간단한 지각능력과 운동능력이 생긴다. 또한 대상의 영속성이 생기기 때문에 엄마와 떨어지지 않으려 하고 낯가림을 한다.

■ 전조작기(2~7세)

어떤 논리적인 사고를 통해서 조작하는 행위를 할 수 있기 이전의 시기라는 의미에서 '전조작기'라고 한다. 이 시기에는 자신이 내재적으로 가지고 있는 표상을 언어나 그림으로 표현할 수 있고, 모방이나 기억이 가능하며, 반사행동이 자신의 의도에 따라 계획된 목적행동으로 바뀌게 된다.

전조작기에 있는 아이들의 사고방식 중에서 주요한 특징은 다음과 같다.

» **상징적 사고** : 소꿉놀이나 병원놀이와 같은 가상적인 사물 또는 상황을 실제 사물이나 상황처럼 상징적으로 생각한다.

» **자기중심적 사고** : 타인의 생각 · 감정 · 지각 · 관점 등이 자신과 동일하리라고 생각하기 때문에 남을 배려하지 못하고, 보는 위치에 따라서 산의 모양이 달라진다는 것을 이해하지 못한다.

» **직관적 사고** : 한 가지 직관적인 특성에 의해서 대상을 이해하려고 한다. 예를 들어 A, B 두 비커(beaker)에 같은 양의 물이 들어 있는 것을 보여준 다음, 하나를 다른 모양의 그릇에 붓고 어느 쪽이 더 많으냐고 물어보면 둘 중에 하나가 더 많다고 대답하면서 높이가 높다든지, 넓이가 넓다든지 하는 이유를 댄다.

» **물활론적 사고** : 모든 사물에는 모두 생명이 있다고 여기기 때문에 인형이나 장난감과 대화하며 논다.

» **인공론적 사고** : 모든 것을 사람이 만들었다고 생각한다. 모든 것이 나를 위해서 만들어졌다고 생각한다.

■ 구체적 조작기(7~11세)

구체적 조작기란 구체적인 의미에서 쉽게 상상될 수 있는 사물이나 문제들에 대해서만 논리적이고 체계적으로 사고할 수 있고, 순수하게 추상적인 내용에 대해서는 사고할 수 없기 때문에 붙여진 이름이다.

이 시기의 아이들은 인지능력이 현저하게 발달되어 자기중심적 사고에서 벗어나게 되고, 비커에 있던 물을 다른 그릇에 담아도 그 양은 변하지 않는다는 것을 이해할 수 있게 된다(보존 개념의 획득).

보존 개념 이외에 구체적 조작기에 있는 아이들이 갖는 사고방식의 특징은 다음과 같다.

» 유목화 : 자동차 · 배 · 비행기는 서로 모양이 다르지만 '운송수단'이라는 공통점을 이용해서 하나의 범주로 유목화하는 것처럼 공통점과 차이점, 관련성 등을 이해할 수 있다.

» 서열화 : 사물이나 대상을 크기 · 무게 · 밝기 등과 같은 특성에 따라서 순서를 매길 수 있다.

■ 형식적 조작기(11~15세)

형식적 조작기란 구체적으로 존재하지 않는 추상적인 사상이나 개념에 대해서도 논리적이고 체계적으로 생각할 수 있다. 이것은 실제와 다른 가설적인 상황에 대해서도 사고가 가능한 시기라는 의미이다.

형식적 조작기에 있는 아이들의 사고의 특징은 다음과 같다.

» 가설-연역적 사고 : 가능성에 대해 연역적으로 사고하고, 이를 체계적으로 시험하여 결론에 이르게 되는 생각의 형태를 뜻한다.

» 추상적 사고 : 실제에 근거하지 않고 논리적 가능성에 근거하여 사고

하는 능력을 말한다. 현실에 존재하지 않는 가능성에 대해서도 사고
할 수 있다는 측면에서 사고가 매우 탄력적이고 유연해진다. 이들은
현실과 가능성을 구분하고, 무엇이 가능한 것인지에 대해 생각할 수
있으며, 창조적이고 독창적인 상상을 할 수 있다.

» 과학적 사고 : 주어진 문제를 해결하기 위하여 사전에 일련의 계획을
세우고 체계적으로 시험하면서 해결책을 찾을 수 있게 된다.

» 체계적 사고 : 자신의 이상적인 기준에 따라 자신의 주장과 타인의 주
장을 비교 분석할 수 있다.

03 정서적 발달 특성

❶ 정서의 발달

한 살짜리 아기는 0살짜리 아기에 비해서 정서가 분화되기는 했지만 아
직까지는 쾌/불쾌만 따라가고, 흥미의 지속시간도 극히 짧다. 울고 있더라
도 잠깐만 달래면 금방 웃는다.

두 살이 되어도 그런 상황을 쉽게 볼 수 있지만, 말이 늘어서 추어올려
주면 신이 나서 하라는 대로 잘 한다. 즉 칭찬의 효과가 즉각적으로 나타
나는 시기이다.

세 살이 되면 정서가 더욱 더 분화된다. 즐거움, 슬픔, 좋음, 화남, 두려
움 등 단순한 쾌/불쾌보다는 좀 더 세밀한 감정을 나타낼 수 있게 된다. 그
와 동시에 자신과 외부 세계와의 대립을 경험하기 때문에 세 살 후반이 되
면 반항을 하고, 정서적으로 불안정한 상태가 자주 목격된다. 어른이 이 시

기의 어린이에게 대하는 태도가 그 아이의 정서 형성에 아주 큰 영향을 미친다. 용인하는 태도로 대하면 버릇이 없어지고, 심하게 나무라면 밤에 오줌을 싸는 원인이 된다. 태어난 이후 처음으로 정서불안을 겪는 시기가 세 살 후반이다.

네 살이 되면 정서가 급격하게 안정된다. 생활경험이 좀 더 풍부해지고, 이런저런 일은 과거의 경험과 연관지어 해결할 수 있기 때문에 자신감이 생긴다. 칭찬 받을 수 있는 일과 그렇지 않은 일을 구분해서 하는 여유도 생긴다. 말하자면 꼬마신사와 꼬마숙녀가 되는 시기이다.

다섯 살이 되면 정서가 더욱 더 세분화되어 다른 사람과 공감하고, 동정하고, 원망하고, 분석하려는 생각을 갖는 등 사회적으로 세밀한 정서적인 감정을 갖게 된다.

❷ 욕구의 발달

어린이들에게 있는 여러 가지 욕구들은 표 2-8과 같이 분류할 수 있다. 그러한 욕구 중에서 체육과 관계가 깊은 것은 활동과 휴식의 욕구이다.

건강한 어린이들은 신체활동을 좋아해서 하루 종일 놀다가 잠이 들어버리는 일도 가끔 있다. 그렇게 생활하는 가운데 어린이들은 자신이 성장하는 데에 필요한 심신의 자극을 얻을 수 있게 된다.

연구 결과에 따르면 유아들의 정신건강과 운동능력 사이에는 정(+)의 상관관계가 있다고 한다. 즉 어린이들이 놀면서 운동하는 것이 어린이들의 정신건강에 아주 중요한 역할을 한다. 초등학교 1학년을 대상으로 가장 좋아하는 과목이 무엇인지 조사해봤더니 체육이었다는 사실도 어린이들의 정신건강에 신체운동이 중요하다는 것을 보여주는 것이라고 할 수 있다.

▶ 표 2-8   어린이들의 욕구의 종류

구분	욕구의 예
생리적 욕구	식음의 욕구, 성적 욕구, 활동과 휴식의 욕구 등
신체적 욕구	위험으로부터 도피 욕구, 분노와 투쟁의 욕구 등
사회적 욕구	사회적 관계에 끼어들고 싶은 욕구, 다른 사람과 똑같고 싶은 욕구, 다른 사람을 사랑하고 다른 사람으로부터 사랑받고 싶은 욕구, 다른 사람보다 우월하고 싶은 욕구, 자기 표현의 욕구, 자기 주장의 욕구 등
물질적 욕구	탐색의 욕구, 장난감을 갖고 싶은 욕구, 흥미의 욕구 등

어린이들이 어른보다 더 충동적이라는 말은 어린이들은 이성보다는 감정에 이끌려서 행동하기 쉽다는 것을 뜻한다. 그렇기 때문에 어린이들이 참는다는 것은 쉬운 일이 아니고, 하고 싶은 일을 즉시 하지 않으면 기분이 상하기 때문에 '잠깐만'이라는 말이 통하지 않는다.

그래서 비오는 날에 집 안에 갇혀 있더라도 뛰어놀고 싶다는 생각이 들면 아기가 자고 있더라도 아랑곳 하지 않고 놀기 시작해버린다. 이때 엄마가 놀지 못하게 하면 어린이들의 마음속에는 '놀고 싶다'는 욕구를 채우지 못했다는 욕구불만이 생긴다. 그러면 욕구불만을 해소시키기 위해서 동생을 괴롭히는 일이 벌어질 수도 있다.

분별력이 있는 어른 같으면 자신의 욕구불만에 적절히 대응할 수 있지만 어린이들은 아직 적응력이 충분히 발달되지 못했기 때문에 주위에서 적절한 도움을 주어야 한다. 앞의 비오는 날의 예에서 엄마가 아이에게 뛰어놀지 말라고 꾸짖는 대신에 블록으로 멋진 성을 쌓아보라고 하는 것이다.

어린이들의 운동욕구는 강한 편인데도 불구하고 부모나 선생님들은 자신들의 운동욕구를 기준으로 어린이들의 욕구를 지레짐작해버리기 쉽다. 그렇지만 그것은 "천만의 말씀이다!" 운동욕구를 충족시키지 못한 불만 때문에 어린이들이 난폭한 행동을 하는 일이 적지 않고, 어린이들이 교실에서 책상 위로 뛰어다니는 원인이 실내 수업의 비중이 너무 크기 때문인 경우가 많다.

③ 흥미의 발달

어린이들은 아직 알지 못하고 있는 것이 대단히 많기 때문에 무엇이든지 알고 싶어 한다. 모르는 것에 대한 호기심 때문에 어린이들이 주위에 있는 여러 가지 잡다한 것들에 마음을 끌리는 것이다.

어린이들은 일단 호기심이 발동하면 그것을 마음속에 담아두고 있지 못하고 반드시 직접 행동으로 부딪쳐봐야 한다. 즉 무엇이든지 하고 보기 때문에 전기 콘센트이건 기둥의 구멍이건 가리지 않고 연필을 쑤셔 넣고 보는 것이다.

그런데 대부분의 호기심은 직접 해보면 그 결과를 알 수 있기 때문에 더 이상 발전하는 경우는 드물다. 그에 반해서 호기심에서 출발해서 어느 정도 체험을 해봤는데도 여전히 매력을 느끼면 그것에 흥미가 있다고 한다. 흥미는 단순한 호기심 이상으로 발전할 가능성이 있기 때문에 교육방법으로써 대단히 중요하다.

어린이들에게 평균대는 균형을 잡고 건너가야 하는 도구가 아니라 밑으로 빠져나가기도 하고, 위로 뛰어넘기도 하면서 노는 놀이 기구일 뿐이고, 뜀틀도 가지고 놀 수 있는 도구일 뿐이다. 그러므로 모든 도구들은 어린이들에게는 흥미의 대상이 된다.

흥미가 지속되어서 좀 더 위 단계로 발전하려면 물적·인적·주체적 여건이 맞아야 한다. 예를 들어 음악 없이 춤을 배우는 것보다는 음악에 맞추어서 연습하는 것이 흥미를 더 잘 돋우고, 페인트가 벗겨진 미끄럼틀보다는 알록달록하게 칠해져 있는 미끄럼틀에서 미끄럼을 타는 것이 더 흥미롭다. 또 혼자 노는 것보다는 둘이, 둘보다는 셋이 노는 것이 놀이에 변화를 줄 수 있는 가능성이 많기 때문에 어린이들의 흥미를 더 끌 수 있고, 낮은 의자에서 뛰어내리는 놀이를 하는 것보다는 높은 의자에서 뛰어내리면 더 많은 흥미를 유발시킬 수 있다.

이와 같이 물적·인적·주체적 여건이 맞고 적절한 도움을 받을 수 있는 상태에서 노는 것이 어린이들의 교육에서는 대단히 중요하다.

❹ 사고력의 발달 ···

인간의 사고력은 말과 이미지를 매체로 발전한다. 한 살짜리 아기는 구사할 수 있는 단어의 수가 적을 뿐만 아니라 알고 있는 단어들도 모두 의성어이다. 고양이는 '야옹'이고, 자동차는 '붕붕'이다. 그러나 매일 엄마와 끈질기게 반복하는 대화를 통해서 조금씩 말을 알아듣기 시작한다.

두 살이 되면 말을 제법 할 수는 있지만 아직 단어를 나열하는 데에 시간이 걸리고, 말 속에 주어와 술어가 나타나면서 점점 말문이 열리기 시작한다. 그러나 이 시기에는 아직 말이 사고활동의 주된 도구 역할을 하지 못하고, 상대방과 의사소통의 수단으로서도 미흡하기 때문에 아기들은 직접 행동함으로써 문제를 해결한다.

세 살이 되면 어느 정도 이야기를 할 수 있게 된다. 드디어 말에 주어와 술어가 갖추어지고, '왜'나 '그래서'와 같은 단어들을 사용해서 말을 이어 가며, 놀면서도 활달하게 재잘거린다. 어른들이 하는 말을 쉽게 기억하고, TV 광고를 아주 잘 기억한다.

이때부터 상상활동이 시작되고, 무엇인가 자기가 생각하는 방향으로 그림을 그리기 시작한다. 상상하는 것은 인간에게만 있는 독특한 행동인데, 그 상상활동이 이 시기에 시작되기 때문에 사고력이 크게 발달하는 것으로 보인다.

그러나 이 시기에는 어른처럼 현실과 상상을 의식적으로 구별할 수 있는 것은 아니고, 현실과 상상의 세계가 혼합되어 있다. 그렇기 때문에 소꿉놀이를 하면서도 실제로는 그 역할을 하지 않기도 하고, TV에서 슈퍼맨을 보고 자기가 슈퍼맨이 되어서 높은 곳에서 뛰어내리다가 다치기도 한다.

네 살 이후에도 상상활동은 계속되어서 상상력이 더욱 더 발달한다. 4세의 여자 아이에게 그네를 타고 발로 구르는 것을 머릿속에 떠올려 보라고 한 다음 피부전기의 변화를 관찰했더니 실제로 그네를 탈 때와 거의 같은 형태의 피부전기의 변화를 보였다. 즉 상상만으로도 실제 행동한 것과 거의 같은 효과를 낼 수 있다는 것이다.

다섯 살이 되면 어른과의 대화가 충분하고, 친구와의 싸움도 행동으로 하지 않고 말로 하며, 싸우면서 여러 가지 핑계나 구실을 댄다. 놀 때도 좀 더 차원이 높은 놀이를 생각해내고, 그것을 발전시키면서 오랫동안 계속해서 논다.

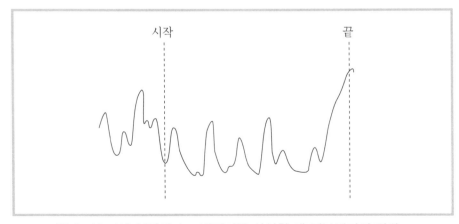

▶ 그림 2-13 4살 어린이가 그네뛰기를 상상할 때 피부전기의 변화

　　이상은 어린이들의 사고력의 발달과정을 개괄적으로 설명한 것이다. 어린이들이 사고하는 방법(방향)에는 자기중심성, 구체성, 피암시성 등의 특징 있다. 그러나 그 내용은 피아제의 발달이론에 나온 것과 중복되기 때문에 여기에서는 생략한다.

04 사회적 발달 특성

❶ 사회성의 발달

　　인도의 동굴에서 늑대가 기른 약 8살 가량의 소녀를 발견하여 고아원에서 정성껏 길렀는데도 불구하고 서서 걷는 데에 3년이 걸렸고, 말과 감정표현을 교육하려고 무진 애를 썼지만 거의 발전되지 못했다고 한다. 이것은 아기가 인간의 새끼로 태어났다고 해서 인간다운 새끼가 된다는 것을 보증할 수는 없고, 인간의 세계에서 길러져야 인간다운 새끼가 될 수 있다는 것을 보여준 사례라고 할 수 있다.

　　한 살짜리 아기에게는 부모와 형제 등 가족집단이 중요한 사회이다. 그러나 두 살이 되면 행동공간이 넓어져서 이웃에서 사는 놀이 친구가 생긴다. 옆집 아이, 건너편 집 아이, 놀이터에서 자주 만나는 아이 등과 같이 놀게 되고, 그것이 놀이집단의 시초가 된다. 그러나 장난감이나 놀이기구를 다른 아이에게 잘 빌려주지 않으려고 하는 소유욕도 생긴다. 혼자서 소변을 볼 수 있게 됨에 따라서 부모의 손이 조금 덜 가도 된다.

세 살이 되면 약속을 할 수도 있고, 집단적인 놀이도 할 수 있으며, 소꿉놀이도 할 수 있게 된다. 그러나 세 살 후반에 접어들면 정서가 불안정한 시기에 들어가기 때문에 싸우기 시작하고, 친구와 같이 놀지 않게 된다. 혼자 놀아도 여전히 잘 논다. 이 시기에 대변도 스스로 해결할 수 있게 되고, 혼자도 잘 걸어 다닌다.

네 살이 되면 정서가 다시 안정되고, 친구를 그리워하게 되기 때문에 친구를 사귀기 시작한다. 둘이 노는 것이 대부분이지만, 상대의 존재를 인식하고 자기 주장을 함과 동시에 타협의 필요성도 체험하게 된다. 경쟁심도 나타나기 시작하지만 서로 협력하는 것도 알게 된다. 그렇지 않으면 같이 놀 수가 없기 때문이다. 둘이 협동해서 모래성을 쌓기도 하고, 누가 더 많이 집을 짓는지 또는 누가 더 많은 집을 부수는지 경쟁하기도 한다.

다섯 살이 되면 사회성이 급격하게 발전해서 놀이 친구가 3~4명으로 늘어나고, 각자가 아이디어를 내기도 하며, 놀이의 종류가 많아질 뿐 아니라 방법도 변화된다. 놀이 친구들이 놀이 집단을 형성하기 시작하고, 놀이 친구 중에 대장이 나타나며, 놀이 친구들이 고정화되고, 공동의 목표를 설정해서 그것을 달성하려고 협력하며, 놀이의 매너를 배우고, 놀이의 규칙을 새로 만드는 등 조직화되기 시작한다.

❷ 유아집단의 기능

아기가 성장함에 따라서 가족·이웃·학교 등과 같은 몇몇 집단의 구성원이 되어간다. 이러한 유아집단들의 가장 큰 특징은 놀이를 중심으로 하는 집단이라는 것이다. 어린이가 유아집단에서 노는 것은 신체·정신·사회성에 미치는 영향이 대단히 크기 때문에 그 의의가 대단히 높게 평가된다.

어린이들이 아직 전신운동을 하면서 놀지는 못하더라도 신체 각 부위 또는 기관을 자극해서 크기가 크게 자란다든지, 아니면 그 기능이 향상된 다든지 하는 것 등을 기대할 수 있다.

혼자 노는 것보다는 여럿이 집단으로 노는 것이 더 좋은 이유는 다음과 같다.

» 놀이의 종류나 내용이 다채로워지고, 노는 시간도 길어지기 때문에 신체에 미치는 영향이 한층 더 높기 때문이다.

» 집단놀이를 통해서 지적 발달을 촉진할 수 있기 때문이다. 노는 친구 의 수나 장난감(또는 놀이도구)의 수를 통해서 수의 개념이 발달되 고, 물체의 모양을 보고 형태의 개념, 색깔을 보고 색채의 개념, 물체 가 움직이는 것을 보고 움직임의 개념도 이해할 수 있게 된다. 노는 친구들과 자신 사이에 좋거나 싫은 감정이 생기고, 이기거나 지는, 손 해를 보거나 이득을 보는, 강하거나 약한 관계가 있다는 것을 깨닫게 된다. 그밖에 안전과 위험, 가능과 불가능이라는 지적능력도 발달하 게 된다.

» 정서의 지배와 관계되는 것을 배울 때에는 여러 사람이 집단으로 노 는 것이 아주 중요한 의미가 있기 때문이다. 유아들은 여러 가지 물 건들을 사용해서 움직이고, 이런저런 친구들과 노는 가운데 즐거움, 기쁨, 슬픔, 두려움, 미움, 질투심 등과 같은 감정이 생기는 것을 경험 하게 된다. 그러한 감정들을 표현하는 방법을 배우고, 감정을 표출하 는 방법이 사회적으로 용인되지 않을 경우 그것을 제어하는 방법도 학습한다.

» 놀이를 통해서 기본적인 사회적 관계의 모습을 이해할 수 있게 되기 때문이다. 놀이도구를 혼자 차지하려 하거나 좋은 것은 항상 자기가 하려고 하는 등 제멋대로 구는 친구가 있으면 다른 친구들이 같이 놀

려고 하지 않고, 억지로 놀게 되더라도 금방 싸워서 놀이가 깨져버린다. 놀이는 평등한 조건에서 능력이 비슷한 아이들끼리 하는 것이지, 그렇지 않으면 놀이가 재미없다는 것을 어린이들도 안다. 대형 놀이를 할 때에는 모두 힘을 합쳐서 책상을 옮기고, 필요한 것을 나누어서 가져오며, 공동의 목적을 위해서 협력해야 한다는 것을 어린이들이 배운다.

» 놀이를 하는 중에 동료(타인)를 존중하는 것, 놀이를 재미있게 하는 방법(경쟁과 협력), 행동의 규준(규칙과 법) 등과 같은 사회에 적응하는 데에 꼭 필요한 기초적인 사회성을 배울 수 있기 때문이다. 유아들이 놀이를 하는 중에도 권위주의를 볼 수 있다. 예를 들어 놀이에서 아웃이 된 친구가 있을 때 대장 어린이가 세이프라고 외치면 많은 친구들이 (대장을 따라서) 세이프라고 주장하는 것이다. 대장이 말하면 옳다는 논리에 밀려서 진실이 왜곡되는 것이다. 보통 힘이 센 어린이가 대장이 되지만, 지능이나 운동능력이 좋은 것도 대장이 될 수 있는 자격에 들어간다. 대장이 못된 장난을 치면 모두가 덩달아서 장난을 치고, 대장이 꾸짖으면 모두가 조용해지는 일도 자주 있다. 그러나 대장이라도 제멋대로 하는 일이 지나치면 모두가 싫어해서 무리에 끼지 못하게 된다.

제3장

유아기의 운동발달에 관한 이론

유아기의 체력 · 운동능력 및 운동스킬의 발달

1 **체력**

체력이란 무엇인가에 대해서는 많은 사고방식이 있으며, 정의도 다양하다. 여기에서는 체력이란 '인간이 존재하고 활동하는 데 필요한 신체적 능력'이라고 생각하기로 한다. 즉 영어의 'physical fitness'에 해당하는 말이다.

이러한 의미에서 체력은 크게 2가지 측면으로 나눌 수 있다(그림 3-1).

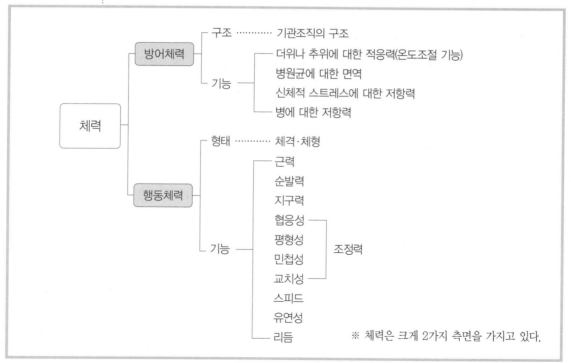

▶ 그림 3-1 체력의 구성요소

» 건강을 위협하는 외계의 자극을 이겨내고 건강을 유지해 가기 위한 능력……
병에 대한 저항력, 더위나 추위에 대한 적응력, 병원균에 대한 면역
력. 방어체력이라고도 한다.

» 작업이나 스포츠 등을 할 때 필요로 하는 능력……적극적으로 몸을 일하
게 만드는 능력. 행동체력이라고도 한다.

결국 체력이란 여러 스트레스에 대한 저항력으로서의 방어체력과 적극
적으로 활동하기 위한 행동체력을 종합한 능력이라고 할 수 있다. 행동체
력은 체격이나 체형 등 신체의 형태와 기능으로 이분화된다.

다음에 기능면에 대해 간단히 살펴보기로 한다.

■ 행동을 일으키는 힘

➔ 근력(strength)

근육의 수축에 의하여 생기는 힘이다. 즉 근육이 최대노력에 의해 어느
정도 큰 힘을 발휘할 수 있는가이며, kg으로 나타낸다.

➔ 순발력(power)

순간적으로 큰 힘을 내서 운동을 일으키는 능력으로 파워라고 한다.

■ 지구력

지속하는 힘이 지구력(endurance)이다. 사용되는 근육군에 부하가 걸린
상태에서 얼마나 장시간 작업을 계속할 수 있는가 하는 근지구력(muscular
endurance)과 전신적인 운동을 장시간 계속해서 행하는 호흡 · 순환계통기
능의 지구력(cardiovascular/respiratory endurance)으로 크게 나눌 수 있다.

■ 조정력

다양한 움직임을 종합해서 목적으로 하는 움직임을 정확하게, 원활하게, 효율성 있게 수행하는 능력이 조정력이다. 협응성이라고 불리는 경우도 있다. 평형성 · 민첩성 · 치밀성 등의 체력요소와 상관성이 높다.

➔ 협응성(coordination)

신체의 2 부위 이상이 동원되는 운동을 하나의 운동에 융합하거나, 신체 내 · 외의 자극에 대응해서 운동하는 능력이 협응성이다. 복잡한 운동을 학습할 때 중요한 역할을 한다.

➔ 평형성(balance)

평형성은 신체의 자세를 유지하는 능력이다. 걷기 · 뛰기 · 건너기 등의 운동을 할 때 자세의 안정성을 의미하는 동적 평형성과 정지한 상태에서 안정성을 의미하는 정적 평형성으로 구별된다. 나아가 물체의 평형을 유지하는 능력, 예를 들면 손바닥 위에 봉을 세우고 그 밸런스를 유지하는 평형성도 있다.

➔ 민첩성(agility)

몸을 재빨리 움직여 방향을 전환하거나 자극에 대해 반응하는 능력이 민첩성이다.

➔ 치밀성(skillfulness)

치밀성은 몸을 목적에 맞게 정확하게, 재빠르게, 원활하게 움직이는 능력이다. 이른바 요령이 좋고 정교한 것을 뜻한다.

■ 원활하게 행하는 힘

➜ 유연성(flexibility)

몸의 부드러움을 유연성이라고 한다. 몸을 여러 방향으로 굽히거나 펴는 능력이다. 이 능력이 뛰어나면 운동을 스무스하게, 크게, 아름답게 할 수 있다.

➜ 리듬(rhythm)

리듬은 음·박자·움직임 혹은 무리없이 아름답고 연속적인 움직임을 포함하는 가락을 말하며, 운동의 협응이나 효율에 관계된다.

➜ 스피드(speed)

물체가 진행하는 빠르기가 스피드이다.

② 운동능력

인간의 신체발육이나 체력·운동능력 등의 발달에는 일정 규칙이 있다. 예를 들면 인체는 영양을 주면 어느 정도의 발육과 발달은 되지만, 사용하지 않으면 위축(기능 저하)된다. 또한 너무 많이 쓰면 오히려 기능장애를 일으킬 우려도 있다. 따라서 올바르게 사용하여야 제대로 발달하게 된다.

여기서 말하는 '발육'이란 영어의 'growth'로, 신장이나 체중과 같은 몸의 형태적 변화(증대)이다. 또 '발달'이란 영어의 'development'로, 능력이나 순발력이 향상되었다는 것과 같은 심신의 기능적 변화(증대)이다.

유아기의 운동발달에서는 신경조직의 발육·발달이 중심이 되며, 그중에서도 수초(미엘린초, 말이집)의 발육이 급속히 성장되어 크게 관여한다.

운동기능의 발달은 다음의 3가지 특징을 생각해볼 수 있다.

» 머리부터 다리쪽으로 기능의 발달이 옮겨간다.

» 몸의 중추부부터 말초부로 운동이 진행된다.

» 큰근육을 쓰는 큰 운동밖에 못하는 시기부터 점차 분화되어 작은근육을 요령 있게 사용하는 미세운동이나 협응운동이 가능해져 수의운동이 가능해진다.

유아의 신체움직임은 팔다리의 움직임에서 시작되어 얼마 후 목이 움직이고, 목근육의 힘이 발달되어 머리를 지탱하고, 출생 후 7~8개월 무렵이 되면 앉을 수 있게 되며 평형감각을 갖추게 된다. 이어서 손·발의 협조성이 생김과 동시에 손이나 다리·허리의 근육이 발달되어 몸을 지탱할 수 있게 되며, 기기 시작한다.

기는 기능이 발달하면 평형감각도 한층 발달하여 서고 걷기를 시작한다. 이러한 발달은 개인차가 있긴 하지만, 출생 후 14~15개월 경부터이다.

유아기가 되면 달리는 힘이나 뛰는 힘, 던지는 힘, 매달리는 힘 등 기초운동능력이 갖춰진다. 처음에는 세밀한 운동은 못하고 전신운동이 많다. 그러다가 4~5세 무렵이 되면 손끝이나 손가락끝 운동을 단독으로 할 수 있게 된다.

이러한 유아의 발달단계를 거쳐 운동능력을 발달시키려면 관심 있는 놀이를 자발적으로 반복해서 경험시키는 것이 중요하다. 왜냐하면 3~4세경이 되면 운동능력이 놀이를 통해 발달해가기 때문이다.

5~6세가 되면 독창적인 발달도 진행된다. 나아가 정서도 발달해가므로 놀이로부터 한 발 더 나아간 체육적인 운동을 가미하는 것이 중요하다. 이때 경쟁이나 유희 등을 경험시키고, 운동기능을 발달시킴과 동시에 유아의 체력만들기를 위한 구체적인 방법도 필요해진다.

여기서 말하는 '운동능력'이란 전신의 기능, 특히 신경·감각기능과 근육기능이 종합된 능력이라고 할 수 있다. 또 기초적 운동능력으로 달리는 힘과 뛰는 힘이 발전하는 속도가 빠르다. 특히 3세, 4세, 5세에는 그 움직임이 크다고 할 수 있다.

그중에서도 달리는 운동은 전신운동이기 때문에 근력과 심폐기능(순환기능)의 발달과 관계가 깊다. 도약운동은 다리의 큰근력을 이용하여 순간적으로 이루어지므로 도약거리는 팔 휘두르기와 다리 펴기의 협응력과도 관계가 깊다고 할 수 있다. 6세가 되면 다리근력이 발달하여 3세 아이의 2배 정도 뛸 수 있게 된다.

던지는 운동은 팔의 큰 힘이나 손목의 힘이 있어도 공을 손에서 놓는 타이밍을 잘못 조절하면 거리는 늘어나지 않는다. 특히 오버스로우에 의한 거리 던지기는 팔에서 손목까지 힘을 순서대로 전달하여 그 힘이 공에 가해지도록 해야 한다. 오버스로우에 의한 공 던지기는 4세 반 이후부터는 남아쪽이 여아보다 더 빨리 발달한다.

매달리는 운동은 근지구력이 주가 되지만, 운동을 계속하려는 의지력의 영향도 받는다. 유아기에는 운동능력, 특히 대뇌피질 운동영역의 발달에 의해 조정력이 빠르게 향상된다. 성별을 불문하고 4세 경이 되면 급속히 그 힘이 생긴다. 이것은 뇌의 추체세포가 회로화되어 거기에 맞게 근육이나 골격도 발달하기 때문이다.

❸ 운동스킬과 운동 시 길러지는 능력

■ 운동스킬

유아기에 나타나는 기본운동스킬은 다음의 4가지이다(그림 3-2)

☑ 이동계

배를 땅에 대고 기기(crawling), 네발로 기기(creeping), 기어오르기, 걷기, 오르기, 내려가기, 달리기, 멈추기, 리프(leap), 스킵, 홉, 갤롭, 뛰기, 뛰어오르거나 내리기, 기어가듯이 오르기, 뛰어넘기, 가랑이 벌려 뛰어넘기, 몸을 돌려 비키기, 빠져나가기, 미끄러지기, 헤엄치기

힘내! 배밀이(배를 바닥에 대고 기기)로 전진

뛰어오르고내리기　　스킵

☑ 평형계

팔로 지탱하기, 앉기, 굽히기, 서기, 일어나기, 한 발로 서기, 균형 잡고 서기, 타기, 건너기, 뜨기

30초, 혼자 앉기

팔로 지탱하기　　건너기

☑ 조작계

잡기, 집기, 놓기, 멀리 내던지기, 던지기, 차기, 치기, 잡기(공 튀기기), 때리기, 잡기, 받기, 노젓기

홀라후프 돌리기

잼잼해보렴

캐치볼

☑ 비이동계(제자리에서 하는 운동스킬)

매달리기, 밀기, 당기기

밀기　　매달리기　　잡기

당기기　　지탱하기

▶ **그림 3-2　기본운동스킬**

➔ 이동계 운동스킬

걷기, 달리기, 기기, 뛰기, 스키핑, 수영 등 한 장소에서 다른 장소로 움직이는 기술이다.

➔ 평형계 운동스킬

밸런스 잡기, 건너기 등 자세의 안정을 유지하는 기술이다.

➔ 조작계 운동스킬

던지기, 차기, 치기, 잡기 등 사물에 움직임을 가하거나 조작하는 움직임의 기술이다.

➔ 비이동계 운동스킬(제자리에서의 운동스킬)

제자리에서 밀기, 당기기, 매달리기 등을 하는 기술이다.

■ 운동 시 길러지는 능력

➔ 신체인식력

신체인식력이란 신체부위(손, 발, 무릎, 손가락, 등, 머리 등)와 그 움직임(근육 운동적인 움직임)을 이해·인식하는 힘을 말한다. 자신의 몸이 어떻게 움직이고, 어떤 자세가 되는지를 확인하는 힘이다.

➔ 공간지각능력

공간지각능력은 자신의 몸과 자신을 둘러싼 공간에 대해 알고 몸과 방향·위치관계(상하, 좌우, 고저 등)를 이해하는 능력을 말한다.

02 운동발현의 메커니즘

신체운동은 운동신경과 근육의 기능에 의해 구체적으로 실현된다. 그런데 목적에 맞는 합리적인 운동을 하려면 감각계통의 기능과 감각계통으로부터의 정보를 지각하고 판단해서 그것에 대응하는 운동을 명령하는 뇌·중추신경계통의 역할이 특히 중요하다.

사람은 태어날 때 이미 약 140억 뇌세포가 대뇌피질에 있다. 그러나 대뇌에 있는 뇌세포끼리의 연락상태가 좋지 않으면 지각·판단·사고·운동 등의 기능을 갖지 못함으로써 이른바 적응행동이 되지 않은 상태로 있게 된다. 그 상태에서 주변의 환경이나 사람과의 접촉 등에 의해 여러 가지 학습이나 경험을 통하여 대뇌에 자극을 주면 뇌세포가 성숙해져 서서히 자신이 생각하는대로 몸을 움직일 수 있게 된다.

❶ 의식적 운동(수의운동)

운동의 최고중추인 대뇌피질(대뇌겉질)에는 원래 운동의 형태를 만드는 능력이 있어서 일정한 운동을 반복하면 신경세포가 연결되고 뇌세포 간의 연락회로가 생긴다. 이 회로가 운동형태를 명령하는 중추가 된다.

예를 들어 손발의 신경이나 근육이 아무리 발달되어 있더라도 자전거를 처음부터 잘 탈 수는 없다. 그런데 겨우 페달을 밟을 수 있을 정도의 발달단계인 아이도 익숙해지면 잘 탈 수 있게 된다. 그것은 자전거를 타는 경험과 연습을 하면 대뇌피질에 자전거타기에 적합한 회로가 생기고, 그 명령으로 운동신경계통이나 근육이 잘 협조하면서 작용하기 때문이다.

이 운동의 발현 모델은 그림 3-3과 같다. 즉 외부의 자극은 수용기(눈·귀·손 등의 감각기관)에 의해 느껴지며, 정보로서 지각신경을 통해 대뇌에 도달한다. 대뇌에서는 그러한 정보를 비교·판단하여 결정을 내린다. 그 결정이 명령이 되어 척수를 지나 운동신경을 통과하여 운동을 일으키는 실행기(근육)에 도달하면 근육이 자동조절되면서 수축하여 운동을 일으키게 된다. 그 결과는 시각·청각·피부감각 등 외적인 부분들이나 근육 등에 있는 내부수용기의 내적인 부분들을 통해 끊임없이 중추로 보내져 피드백된다.

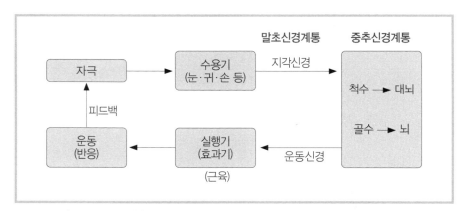

▶ **그림 3-3   신체운동의 발달과정**

이러한 의식적 운동 외에 운동을 일으키는 또 하나의 구조가 있다. 그 것은 감각계통의 정보가 대뇌피질에 도달하기 전에 정보의 중계소인 척수로부터 바로 운동신경으로 가서 근육에 도달해서 의식하기 이전에 운동을 일으키는 구조이다. 이것은 의식과는 관계없이 정보가 되돌아와서 운동을 일으키는 현상으로, 반사라고 불린다.

❷ 운동기술이 좋아지는 과정 ·····················

　　신체운동을 수행하기 위해서는 수용기·지각신경·대뇌피질의 회로·
운동신경·실행기·피드백시스템 등의 조화와 발달이 필요하다. 이것들
은 다양한 운동의 반복에 의해 발달된다.

　　처음 동작처럼 어색한 의식적 동작도 반복에 의해 매끄러워지게 되고,
특별히 의식하지 않아도 가능해지게 된다. 그리고 점점 반사적인 요소가
많아져서 기계적이며 효율적인 움직임이 되어간다. 이것이 운동기술이 좋
아지게 되는 과정이다.

❸ 운동의 발달 ·····················

　　신체운동은 근육운동이기 때문에 근육이나 그것을 움직이고 있는 신경
계통으로 지지되고 있지만, 동시에 호흡·순환계통을 중심으로 한 다른 내
장기관의 지지도 받고 있다.

　　따라서 발달에 따라 적절한 운동을 하면 근육이나 신경계통뿐만 아니
라 호흡·순환계통이나 그밖의 모든 내장기관도 발달시킨다. 이로써 신체
운동을 다이나믹하게 하고, 아이의 생활경험을 확대해서 퍼스낼리티를 발
전시킨다. 그것은 보다 고도의 운동을 가능하게 하는 것을 반복하면서 운
동기술이 발달하고, 나아가 체력이 향상된다.

03 운동발달의 모형

유아의 운동발달은 머리에서 꼬리로, 신체 중심부에서 겉부위로 발달하는 순서성도 있지만, 반사운동에서 의도적인 움직임으로 발달하는 것과 같이 운동의 형태가 단계적으로 변화하는 위계성도 있다.

유아의 운동발달을 위계성에 따라 모형화한 학자들이 몇 사람 있지만, 가장 널리 알려져 있는 것이 미국의 갈라휴(David Gallahue)가 제시한 운동발달 모형이다. 갈라휴는 유아의 운동발달을 반사운동 단계, 초보운동 단계, 기본운동 단계, 전문운동 단계로 나누었다.

■ 반사운동 단계

태어나서 약 1세까지를 반사운동 단계라 하는데, 이때에는 접촉 · 빛 · 소리 · 압력 등에 대하여 반사적인 움직임을 보인다. 유아가 신체방어와 생존을 위한 본능적 반사운동을 보이는 시기로 모로반사, 빨기반사, 걷기반사 등의 움직임을 보인다.

반사운동의 발달과 쇠퇴를 보고 아기의 신경계통에 이상이 있는지 여부를 짐작할 수 있다. 생후 1년이 되면 대부분의 반사운동은 사라진다.

■ 초보운동 단계

생후 1년 정도가 지나면 반사운동이 사라지고 자의적으로 움직일 수 있는 초보운동 단계로 발전한다. 생존에 필요한 수의적인 움직임의 기본 형태인 초보운동에는 안정성 움직임(머리, 목, 몸통 움직이기), 조작적 움직임(뻗기, 잡기, 놓기), 이동성 움직임(뒤집기, 기기, 걷기) 등이 포함된다.
서툴지만 신체의 균형을 유지하고, 물체를 조작할 수도 있다.

■ 기초운동 단계

두 살이 되면 좀 더 활동적인 기본운동 단계가 시작되어 약 일곱 살까
지 계속된다. 유아가 신체의 움직임을 통해서 적극적으로 탐구하는 시기
라고 할 수 있다. 기초운동 단계는 시작(입문) 단계, 초보 단계, 성숙 단계
로 이루어진다.

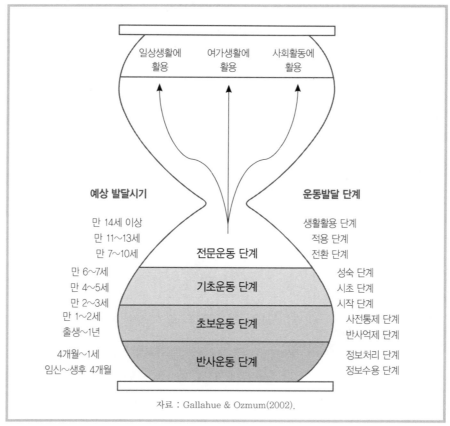

자료 : Gallahue & Ozmum(2002).

▶ 그림 3-4 갈라휴의 운동발달 모형

시작(입문) 단계에는 눈과 손, 또는 손과 발의 협응이 제대로 되지 않아서 신체의 사용이 일부 제한되거나 과장된 움직임 또는 매끄럽지 못한 움직임이 나타나기도 한다.

초보 단계(3~4세)에는 기본움직임의 제어와 협응이 향상되어 움직임이 시간적 · 공간적으로 상당히 매끄러워진다. 그러나 아직도 제한되거나 과장된 움직임의 형태가 남아 있어서 음식을 먹을 때 흘리거나 떨어뜨린다.

성숙 단계(5~6세)에는 운동의 제어와 협응이 제대로 이루어질 뿐만 아니라 역학적으로 효율적인 운동을 하는 면도 보인다. 그러나 날아오는 공을 받거나 배트로 치는 운동은 눈과 신체동작이 고도로 협응이 되어야 하기 때문에 완전하지 못하다.

이 시기에 연습과 격려 등을 통한 운동지도를 받으면 운동발달이 효율적으로 진행되고, 그렇지 못하면 운동발달이 덜 된 상태에서 전문운동 단계로 넘어가게 된다. 그러면 성숙 단계에서 배워야할 운동기능이 미숙하기 때문에 전문운동 단계의 운동발달에도 부정적인 영향을 미친다.

■ 전문운동 단계

만 7세 이후에는 전문운동 단계에 접어들면서 또래와 스포츠활동을 익히고 즐길 수 있는 능력이 생긴다. 전문운동 단계는 기초운동 단계에서 배우고 익힌 운동들을 일상생활, 기본적인 스포츠기술, 레크리에이션 등에 응용해서 보다 더 세련되고 복잡한 운동기술로 발전시켜나가는 단계라고 할 수 있다.

이 단계는 과도기 단계, 적용 단계, 평생이용 단계로 이루어진다.

» 과도기 단계(7~10세)에는 기본적인 움직임 기술을 결합시키고 응용해서 스포츠나 레크리에이션에서 사용하는 전문기술을 수행하려 하

▶ 표 3-1   기초 운동기술의 출현시기

유형		선택된 능력	연령
안정	동적 균형	2.5m의 직선 따라 걷기 낮은 평균대 위에 서기 너비 10cm의 평균대 걷기 성숙한 앞구르기	만 3세 만 2세 만 3~4세 만 6~7세
	정적 균형	혼자 일어서기 3~5초 동안 한 발로 균형잡기	12개월 만 3~4세
이동	걷기	혼자 걷기 옆으로 걷기 뒤로 걷기 빠르게 걷기	13개월 16개월 17개월 18개월
	달리기	기초 단계 달리기 성숙한 달리기	만 2~3세 만 5세
	두발뛰기	20cm 높이에서 뛰어내리기 멀리 뛰기(약 80cm 이상) 뛰어 넘기(약 25cm 이상)	18개월 만 4세 만 4~5세
	한발뛰기	한 발로 4~6회 뛰기 한 발로 8~10회 뛰기	만 3세 만 4세
	말뛰기	기초 단계 말뛰기 성숙한 말뛰기	만 2.5세 만 6세
	번갈아뛰기	한쪽 발만 사용하여 번갈아뛰기 기초 단계 번갈아뛰기 성숙한 번갈아뛰기	만 4세 만 5세 만 6세 이상
조작	잡기	엄지와 집게손가락으로 잡기 협응된 잡기	8~10개월 12~14개월
	놓기	협응된 놓기	14~18개월
	공던지기	초기 단계 던지기 기초 단계 던지기 성숙한 던지기(남자)	만 2~3세 만 4~5세 만 6세
	공받기	설명에 따라 팔과 가슴으로 공받기 2m 거리에서 공받기 작은 공받기 몸을 이동하여 공받기	만 2~3세 만 4세 만 6세
	차기	차는 발을 뒤로 젖혀 차기 성숙한 동작으로 차기	만 3~4세 만 5~6세

자료 : Gallahue & Ozmum(2002).

고, 일상생활에도 이용하려고 한다. 대부분의 아이들이 스포츠에 관심을 갖게 되고, 새로운 기술을 배우면 응용하려고 한다. 부모나 지도자가 아동의 운동기술이 향상될 수 있도록 도와주면 발달이 빠르지만, 잘못 배우면 숙달장애 때문에 기본적인 운동기능조차도 배우기 어려워질 수도 있다.

» 적용 단계(11~16세)에는 인지능력이 정교해지고, 운동경험이 확대되면서 자신이 좋아하는 스포츠를 고르게 된다. 이 시기의 아이들에게 중요한 것은 스포츠활동에 참여할 수 있을 정도로 운동기능이 발달되어 있어야 하고, 게임에 대한 지식을 충분히 갖추고 있어야 하며, 운동의 정밀성 · 정확성 · 자세를 중시해야 한다는 것이다.

» 평생운동 단계(14세 이후)는 앞서 배운 운동기술을 자신이 선택한 운동에 응용해서 평생 동안 즐기는 단계이다.

04 운동기술의 발달

❶ 운동기술의 정의와 분류

운동기술은 운동능력을 기반으로 연습 또는 학습을 통해서 얻어진 성과를 말한다. 따라서 달리기 · 뛰기 · 던지기 등과 같은 기본적인 운동기능도 발전시키면 운동기술이 될 수 있고, 각종 스포츠에서 수행하는 스포츠 기술도 운동기술에 포함된다.

운동기술의 특징은 다음과 같다.

» 특정한 목적이 있는 수의적인 동작이다.

반사동작은 불수의적인 움직임이기 때문에 운동기술이 아니고, 길거리를 지나가다가 괜히 돌을 걸어차는 것은 특정한 목적이 없는 행동이므로 운동기술이 아니다.

» 목적 달성을 위해서 신체의 일부, 특히 팔다리를 많이 이용한다.

한국기원이 대한체육회에 가맹단체로 등록되어 있기는 하지만, 바둑이나 장기를 두는 것은 신체활동이 아주 적으므로 운동기술이 아니다.

운동기술을 분류하는 방법이 여러 가지 있지만, 여기에서는 1차원적으로 분류하는 방법만을 소개한다. 운동기술의 특성 중에서 어느 한 가지 측면만을 기준으로 분류하는 것을 1차원 분류라 하고, 동원되는 근육의 크기, 움직임의 연속성, 환경의 안정성에 따라 표 3-2와 같이 분류한다.

▶ 표 3-2   운동기술의 분류

분류 기준 : 근육의 크기		
큰근육운동기술	몸통이나 팔다리의 큰 근육을 동원	달리기, 던지기, 뛰기
작은근육운동기술	주로 손가락을 이용	피아노치기, 글씨쓰기

분류 기준 : 움직임의 연속성		
불연속적 운동기술	동작의 시작과 끝이 확실한 기술	골프 스윙
계열적 운동기술	불연속적 운동기술이 연속적으로 연결된 기술	농구의 드라이브인슛
연속적 운동기술	특정한 움직임이 반복되는 기술	수영, 달리기

분류 기준 : 환경의 안정성		
폐쇄운동기술	변하지 않는 환경에서 수행하는 운동기술 목표물(타깃)이 고정되어 있음	사격, 양궁
개방운동기술	변하는 환경에서 수행하는 운동기술 목표물(공)이 움직임	축구, 농구

❷ 운동기술(기능)의 발달 ···

유아들이 달리기 · 뛰기 · 던지기 등을 하는 것을 관찰한 다음 보통아이와 잘하는 아이를 비교해보면 운동기술(기능)이 어떻게 발달하는지 알 수 있다. 지금 잘 못하는 아이도 시간이 지나면 지금 잘하는 아이와 거의 똑같은 동작을 하게 되기 때문이다.

■ 달리기

달리는 속도가 빠른 아이를 달리기를 잘하는 아이로 간주한다.

» 보통아이 : 팔을 몸통에 붙이고, 상체는 거의 수직으로 세우고, 무릎이 위로 올라가지 않고, 발로 땅을 차지 않는다.

» 잘하는 아이 : 팔을 잘 흔들고, 상체를 앞으로 기울이고, 무릎이 위로 많이 올라가고, 발로 땅을 찬다.

■ 뛰기

제자리멀리뛰기에서 더 멀리 뛰는 아이를 뛰기를 잘하는 아이로 간주한다.

» 보통아이 : 팔을 충분하게 흔들지 않고, 착지하자마자 허리가 앞으로

나오고, 두 발을 이용하여 뒤로 차지 않고, 위로는 전혀 뛰지 않고, 앞으로만 뛰려고 한다.

» 잘하는 아이 : 예비동작에서는 거의 팔을 흔들지 않고, 상체를 앞으로 숙여서 무릎이 깊이 굽혀지도록 하고, 본동작에서는 팔을 위로 흔들어 올리면서 두 발의 앞꿈치로 찬다.

■ 던지기

작은 공을 더 멀리 던지는 아이를 던지기를 잘하는 아이로 간주한다.

» 못하는 아이 : 두 발을 모아서 던지는 방향을 향하고, 팔만 뒤로 당겼다가 언더핸드로 던진다.

» 보통아이 : 두 발을 모아서 던지는 방향을 향하고, 팔을 위로 올렸다가 오버핸드로 던진다.

» 잘하는 아이 : 앞발은 앞을 향하고, 뒷발은 앞발과 직각이 되도록 딛고, 상체를 옆으로 비틀면서 팔을 위/뒤로 당겼다가 몸통을 반대쪽으로 비틀면서 오버핸드로 던진다.

05 운동능력의 변화

유아들의 운동능력이 어떻게 변하는지 알기 위해서는 유아들의 운동능력을 측정할 수 있는 방법을 알고, 측정한 다음 다른 유아 또는 표준치와 비교해야 한다.

그러나 유아들의 운동능력을 측정하려면 전문적인 지식과 능력이 있어야 하기 때문에 운동능력을 측정하지 못하고 있다. 우리나라의 유치원이나 어린이집에서는 유아들을 데리고 놀아주거나, 놀이시설을 이용해서 놀 때 다치지 않도록 돌봐주는 것이 전부이다.

다음은 일본 문부성에서 3세에서 6세까지의 유아들을 상대로 0.5세 단위로 여러 가지 운동능력을 측정한 방법과 측정 결과 중에서 10가지만 골라서 소개한 것이다. 우리나라의 유아들과 일본의 유아들이 거의 비슷하기 때문에 유용할 것으로 생각되지만, 우리나라도 하루 빨리 이와 같은 연구가 이루어져야할 것이다.

❶ 20미터 달리기

■ 측정방법

» 20미터 달리기 라인 2개를 그리고, 결승선 5미터 앞에 기를 꽂아서 표시한다.
» 달리기 실력이 비슷한 어린이 2명씩 달리게 한다.
» 선 자세에서 호루라기 소리로 출발시킨다.
» 0.1초 단위로 시간을 측정한다.

처음(3.5세)에는 여자 어린이가 더 빨리 달리지만, 5살이 넘으면 남자 어린이가 더 빨리 달린다.

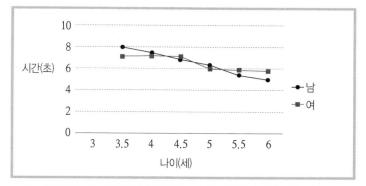

▶ 그림 3-5   남녀 어린이의 20미터 달리기 능력 비교

2 제자리멀리뛰기

제자리멀리뛰기는 남녀 어린이 모두 직선적으로 발달하는 것이 특징이다.

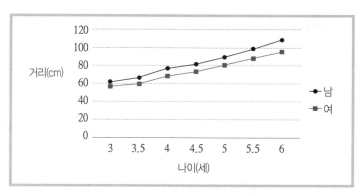

▶ 그림 3-6   남녀 어린이의 제자리멀리뛰기 능력 비교

3 공던지기

작은 공을 가급적 멀리 던지는 것이다. 한 손으로 오버핸드로 던질 수

있는 능력이 있는지 알아본다. 남자 어린이가 여자 어린이보다 월등하고, 남자 어린이는 직선적으로 발달하는 데 비하여 여자 어린이는 5.5세 후에는 별로 발달하지 못하는 것이 특징이다.

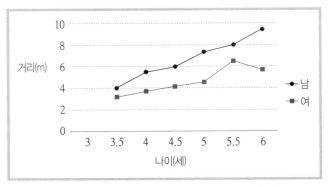

▶ 그림 3-7   남녀 어린이의 공던지기 능력 비교

❹ 옆으로 뛰기 ···

■ 측정방법

» 평평한 바닥에 평균신장의 1/3 간격으로 청색테이프를 두 줄로 나란히 붙인다.
» 한쪽 테이프의 바깥쪽에 서 있다가 호루라기를 불면 반대쪽 테이프 바깥쪽으로 모듬발로 뛴다.
» 이어서 반대방향으로 뛴다.
» 10초 동안에 몇 번이나 뛰는지 횟수를 센다.
» 선을 밟는 것은 괜찮지만, 두 발이 모두 테이프 안쪽을 디디면 횟수에 넣지 않는다.

5.5세 이후에는 남녀 어린이 모두 더 이상 발달하지 않는 것으로 보인다.

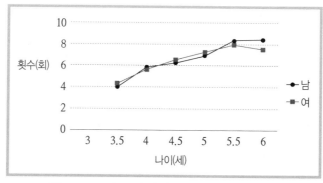

▶ 그림 3-8 　남녀 어린이의 옆으로 뛰기 능력 비교

❺ 외발서기

■ 측정방법

» 외발로 얼마나 오래 동안 서 있을 수 있는지 시간을 측정한다.
» 서 있던 장소에서 발을 떼면 시간 측정이 끝난다.

외발서기는 3세부터 6세까지 여자 어린이가 남자 어린이보다 더 잘하는 종목이다.

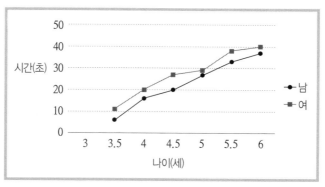

▶ 그림 3-9 　남녀 어린이의 외발서기 능력 비교

6 연속스키프

연속해서 깡충깡충 뛰는 동작이다. 비교적 쉬운 동작이고, 여자 어린이는 4.5세에 100% 성공하지만, 남자 어린이는 6살이 되어도 못하는 어린이가 있는 것이 특징이다.

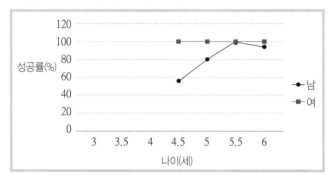

▶ 그림 3-10 남녀 어린이의 연속스키프 능력 비교

7 정지된 공치기

책상 위에 놓여 있는 공을 한 손으로 치는 동작이다. 주먹을 목표물에 얼마나 정확하게 명중시키는지 알아보는 것이다. 남자 어린이는 5세에 완성되지만, 여자 어린이는 남자 어린이보다 발달하는 속도가 항상 늦고, 6살이 되어야 거의 발달이 완료되는 것으로 보인다.

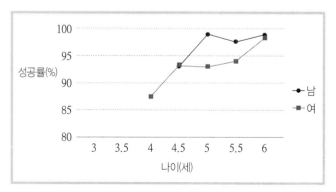

▶ 그림 3-11 남녀 어린이의 정지된 공치기 능력 비교

⑧ 굴러오는 공차기

■ 측정방법

» 어린이가 서 있는 3미터 앞에서 큰 공을 굴려준다.

» 굴러오는 공을 발로 차라고 한다.

» 제대로 차서 공이 반대방향으로 굴러가면 성공이다.

» 헛발질을 해서 공이 계속 앞으로 굴러가거나, 옆으로 45도 이상 삐뚤게 나가면 실패이다.

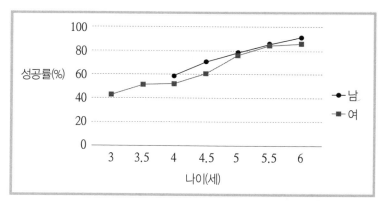

▶ 그림 3-12 남녀 어린이의 굴러오는 공차기 능력 비교

⑨ 날아오는 공받기

■ 측정방법

어린이가 서 있는 3미터 앞에서 어른이 어린이의 가슴을 향하여 작은 공을 던져준다.

» 유아는 날아오는 공을 두 손으로 받는다.

» 공을 땅에 떨어뜨리면 실패이다.

처음에는 여자 어린이가 남자 어린이보다 실력이 더 좋지만, 5세가 지나면 비슷해진다. 눈과 손의 협응능력과 조작능력 외에 이동운동과 안정운동 능력 등 복합적인 운동능력이 요구되는 운동이다. 6살이 넘어도 100% 성공하지 못하는 능력이다.

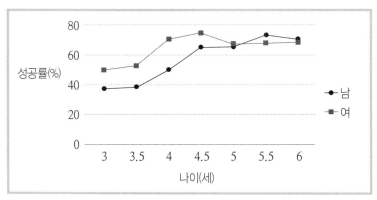

▶ 그림 3-13 남녀 어린이의 날아오는 공받기 능력 비교

⑩ 평균대 위에서 돌아서기

■ 측정방법

» 평균대 위에 두 발로 서 있으라고 한다.
» 신호를 보내면 반대방향으로 돌아서라고 한다.
» 평균대에서 떨어지거나 시간이 10초 이상 걸리면 실패이다.

남녀의 차이가 거의 없고, 6세가 되면 완성되는 능력이다.

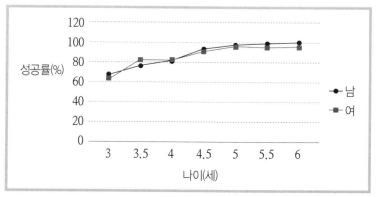

▶ 그림 3-14 남녀 어린이의 평균대 위에서 돌아서기 능력 비교

06 운동발달을 보는 관점

❶ 성숙론적 관점

　　많은 과학자들이 아기가 걸음마를 어떻게 배우는지에 대해 연구를 해왔다. 미국 애리조나 주에 사는 인디언 호피족은 전통적으로 아기가 태어나면 '양육판'이라는 판자에 묶어 키운다. 양육판에 묶인 아기들은 자기 몸을 들지도 못하고, 뒤집지도 못하며, 팔을 움직일 수도 없다. 그런데 9개월 후에는 아기가 걷기 시작한다. 이것은 '때'가 되면 아기 스스로 걷게 된다는 말이 옳음을 증명하는 것이다.

　　이처럼 아기는 배우지 않아도 커가면서 점점 운동발달이 명확해지고, 스스로 조절할 수 있는 능력을 갖게 된다는 관점이 성숙론적인 관점이다.

　　» 유전적으로 형성된 발달 프로그램의 순서대로 운동이 발달한다.

　　» 전 세계의 영아들은 양육상황이 다름에도 불구하고 세계 모든 영아들의 운동기능 발달이 비슷한 순서로 진행된다.

» 쌍생아 연구에서 한 아기는 운동발달이 잘 되도록 환경을 조성했고, 다른 아기는 경험을 차단했음에도 불구하고 운동발달은 큰 차이를 보이지 않았다.

» 결과적으로 운동발달은 내적인 성숙에 의해서 진행되는 것이다.

❷ 학습론적 관점

생후 2년간을 대부분 침대에서 누워 지낸 이란의 고아들을 대상으로 연구한 결과, 고아들은 2세가 되어도 걷지 못하고 3~4세 되었을 때 15%만이 혼자서 걸을 수 있었다. 이것은 운동기술의 발달에는 성숙이 필요하지만, 성숙만으로는 충분하지 못하고, 학습과 경험이 중요하다는 것을 증명하는 것이다.

» 유아들에게 다양하고 풍부한 신체활동을 경험할 수 있도록 배려해야 한다.

» 그러면 유아들의 운동발달 수준을 향상시킬 수 있다.

❸ 생태학적 관점

인간의 운동행동은 단순한 성숙의 결과나 학습에 의한 반응이 아니고, 내적·외적 요인의 복잡한 관계 속에서 형성되는 구성물이다.

» 개인·환경·과제 수준 등이 복합적으로 상호작용하는 가운데에 운동발달이 이루어진다.(역동적 체계 이론)

» 인간의 운동발달은 비선형적이고 불연속적인 특성을 가지고 있다.

» 인간의 행동은 지각체계와 행동체계의 상호관계에 의해서 이루어진다.(지각-행동 이론)

» 운동행동의 주체인 인간이 환경 및 과제특성과 상호작용을 하면서 운동발달을 형성하여간다.

» 움직임은 새로운 운동기술을 습득하고자 하는 영아의 의지에 의한 것이고, 호기심이 많고 능동적인 영아가 목표를 달성하기 위해서 이미 가지고 있는 운동기술을 재조직함으로써 운동기술이 발달하게 된다.

07 큰근육운동과 작은근육운동의 발달

❶ 큰근육운동의 발달

큰근육운동은 걷기나 달리기와 같이 신체를 움직이는 것으로, 균형과 협응성을 필요로 하는 운동을 말한다. 유아는 신체를 움직임으로써 주위 환경을 탐색하고 생각하며 발달하기 때문에 큰근육운동과 작은근육운동이 발달한다.

갈라휴의 운동발달 단계는 큰근육운동의 발달을 기준으로 해서 나눈 것이다. 유아기에 발달하는 큰근육운동에는 걷기(walking), 달리기(running), 두발뛰기(jumping), 한발뛰기(hopping), 말뛰기(galloping), 스키핑(skipping) 등이 있다.

❷ 작은근육운동의 발달

작은근육운동(미세운동)은 손의 정교성, 눈과 손의 협응능력 등이 관여하는 것으로 유아기에 놀이나 학습을 위해 필요한 움직임이다. 여아가 남아보다 더 빨리 발달한다.

바닥에 얼굴대기(신생아)

턱들기(생후 1개월)

가슴들기(생후 2개월)

붙잡아주면 앉기(생후 4개월)

붙잡고 서기(생후 9개월)

기기(생후 10개월)

혼자 앉기(생후 7개월)

손잡고 걷기(생후 11개월)

혼자 서기(생후 11개월)

혼자 걷기(생후 12개월)

▶ **그림 3-15** 큰근육운동의 발달

　　출생 후에는 쥐기반사에 의해 손에 닿는 물건을 잡는 동작을 하지만, 2~3개월이 되면 자신의 의지로 물건을 잡을 수 있게 된다.

　　잡는 방법은 5~6개월이 되면 손바닥 전체로 감싸듯 잡고, 가까이 있는 것을 잡거나 취하는 동작을 할 수 있을 정도로 발달한다. 이 시기는 전신 동작의 상황과도 관련되며, 앉을 수 있게 되고 상반신이 안정됨에 의해 손을 자유롭게 쓸 수 있게 된다.

　　7~8개월이 되면 손가락끝을 쓸 수 있게 된다. 9개월 경이 되면 손가락으로 작은 것을 굴릴 수 있게 되며, 10~11개월이 되면 엄지손가락으로 물건을 잡을 수 있게 된다. 11~12개월이 되면 엄지와 검지손가락을 써서 잡

는 동작을 할 수 있게 된다. 손가락의 발달은 전신운동의 발달과 밀접한 관련이 있다.

8개월이 되면 '바이바이'의 뜻은 모르지만 바이바이라는 말에 반응해서 손을 흔들기도 한다. 이것도 눈과 손, 그리고 말과의 관련을 나타낸다. 이 무렵부터 아이에게는 모방동작이 나타난다.

이 시기에 '오음사고'가 많으므로 주의가 필요하다. 손가락끝을 사용해서 작은 물건을 잡을 수 있게 되면 그것을 입으로 가져가서 잘못 삼켜버리는 일이 종종 있다. 이것은 서서히 없어지며, 손놀이나 던지는 것으로 바꿔어간다.

1살 반 무렵에는 나무블록을 2개 쌓을 수 있게 되며, 3살이 되면 8개의 나무블록을 쌓을 수 있게 된다. 또한 1살 무렵부터 손가락을 사용하여 끄적거리기를 한다. 3살이 되면 가위나 젓가락을 쓰기 시작하며, 사람의 그림은 머리에 손발이 붙는 두족인을 그린다. 6살이 되면 머리와 목·손·발·몸통·얼굴 등을 그릴 수 있게 된다. 5살이 되면 손가락 동작의 기초가 완성된다. 주로 쓰는 손은 2살 경부터 판단할 수 있게 되기 시작하여 5살 경에는 결정된다.

이러한 동작도 다른 사람이 하고 있는 동작을 모방하면서, 머리로 생각하고, 손을 써서 반복해가며 획득해간다. 시간이 걸려도 아이 스스로 해낸 일에 자신감을 갖게 되고, 다음 챌린지에 대한 의욕으로 이어지게 된다.

» 작은근육 조작능력 : 눈과 손이 협응하여 손기술을 정확하게 구사하는 능력으로, 여러 가지 운동능력들이 통합되고 중추신경계통이 성숙함을 의미한다. 작은근육 조작능력은 잡기반사에서부터 발달하기 시작한다.

» **작은근육 기능의 발달** : 그림 그리기는 만 3~4세에 나타나고, 글씨쓰기는 손가락으로 연필을 잡을 수 있을 때에 가능하다. 블록을 집는 것은 대체로 1세경에 가능하나, 잘 쌓아 올리는 것은 어렵고, 5~6세경에는 블록 쌓기를 매우 잘 한다. 6세가 지나면 적절한 방식으로 능숙하게 숟가락과 젓가락을 사용한다.

6세
깡총깡총 뛸 수 있다.

7세
눈을 감고 한쪽 발로 균형을 잡을 수 있다. 5cm 높이의 평균대 위를 넘어지지 않고 걸을 수 있다. 사방차기 놀이를 할 수 있다. 손을 들고 뛰기를 할 수 있다.

8세
발을 번갈아가며 한 발로 뛸 수 있다. 여러 가지 놀이를 할 수 있다.

9세
작은 공을 12m 정도 던질 수 있다. 25cm 정도의 높이에 뛰어 오를 수 있다.

10세
1초에 5m 정도 달릴 수 있다.

11세
1.5m 정도로 멀리 뛸 수 있다.

12세
1m 정도의 높이로 뛰어오를 수 있다.

» 옷 입고 벗기 : 3세 이후에 옷을 벗을 수 있고, 4세 경에는 세수·양치질·빗질이 가능하며, 5~6세 경에는 혼자서 옷을 입고 벗을 수 있으며 신발끈도 맬 수 있다.

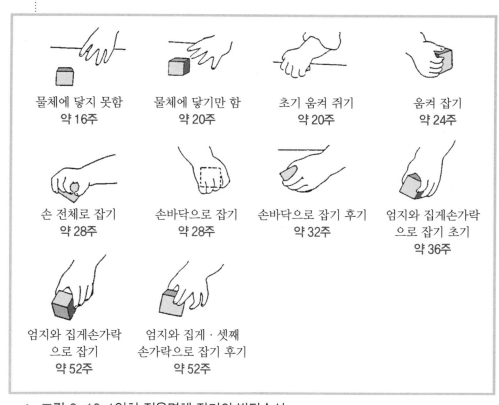

물체에 닿지 못함
약 16주

물체에 닿기만 함
약 20주

초기 움켜 쥐기
약 20주

움켜 잡기
약 24주

손 전체로 잡기
약 28주

손바닥으로 잡기
약 28주

손바닥으로 잡기 후기
약 32주

엄지와 집게손가락
으로 잡기 초기
약 36주

엄지와 집게손가락
으로 잡기
약 52주

엄지와 집게·셋째
손가락으로 잡기 후기
약 52주

▶ 그림 3-16 1인치 정육면체 잡기의 발달순서

08 유아기 운동의 효과

오늘날 도시화의 진행으로 아이들이 활동할 수 있는 공간이 축소됨과 동시에 몸 전체를 충분히 움직일 기회도 굉장히 적어졌다. 순식간에 손발을 써야 하는 방어동작이 잘 되지 않아 얼굴에 직접 상처를 입는 아이들도 늘어나고 있다.

평소 충분히 운동을 한 아이들이라면 부상을 입지 않게 넘어질 수도 있다. 그런데 운동부족으로 반사신경이 둔해지면 손쓰는 방법도 부자연스러워져 마치 발작이라도 일어난 것처럼 '쿵'하고 쓰러져 뼈가 부러지기도 한다. 또 공이 천천히 날아와도 손으로 잡거나 피하지 못하여 얼굴에 공을 맞게 된다.

이처럼 평소 운동을 하지 않는 아이들은 스스로 닥쳐오는 위험을 알지 못하며, 위험을 막으려면 어떻게 해야 하는지를 몸 자체가 경험하지 못하고 있다.

유아들은 운동놀이나 각종 운동을 함으로써 몸을 만들 뿐만 아니라 사회성이나 지능을 발달시켜간다. 신체의 저항력이 약하고 병에 걸리기 쉬운 유아에게는 건강에 대하여 충분히 배려해주어야 한다. 그렇다고 해서 '감기에 걸리면 안 되니까 외출해서는 안 된다.', '자외선이 닿으니까 밖에서 놀지 말아라.'와 같이 하면 유아를 운동에서 멀어지게 한다. 이는 결국 유아를 운동부족으로 만들어 건강상 마이너스를 가져오게 된다.

이 시기에 운동을 멀리하면 전신근육의 발달도 늦어지고, 평형감각도 기르기 어려워진다. 특히 등부위근력이 눈에 띄게 저하된다. 운동경험의 유무가 유아의 건강에 큰 영향을 줌에도 불구하고 현실은 안타깝게도 점점 몸을 움직이지 않는 방향으로 나아가고 있다.

유아가 하는 신체활동이나 운동은 단순히 체력만들기만을 위한 것은 아니다. 인간으로서 살아가는 능력이나 인간답게 사는 방법의 기반을 만들어준다. 기초체력이 없으면 끈기나 집중력을 기를 수 없다. 어려움에 부딪혀도 지치지 않고 자신의 힘으로 넘어설 수 있는 씩씩한 어린이로 성장시키기 위해서는 야외에서 많은 친구들과 함께 운동을 시키는 것이 중요하다.

활발한 움직임을 동반하는 운동놀이나 운동을 장시간 실시한 유아는 자연스럽게 지구력 육성훈련을 하게 되며, 그 가운데 호흡순환기능을 향상시킬 수 있다. 나아가 힘껏 움직이는 유아는 근력이 강화되고, 달리는 힘도 뛰어나게 된다. 또한 몸을 자기의 생각대로 움직이는 조정력을 길러 종합적으로 조화가 갖춰진 체력을 갖추게 된다.

체력·건강증진이라고 하면 육체적인 면에 주목하기 쉽지만, 정신적 발달이나 지적 발달과도 밀접하게 연결되어 있다는 사실을 잊어서는 안 된다. 운동을 하면 외부세계에 적극적 그리고 능동적으로 대응할 수 있게 됨으로써 살아가는 의욕도 높아지고, 나아가 건강도 증진된다.

반대로 아무것도 하지 않으면 체력은 약해지고 기력도 쇠퇴한다. 그리고 자주 아프면 내향적이 되기 쉽다. 건강하면 자신감도 붙고, 모험심도 생긴다. 이렇게 유아의 운동은 성격형성에도 큰 영향을 주므로 조기에 건강·체력만들기는 굉장히 중요하다.

유아가 하는 운동이 굉장히 단순하더라도 발달한 뇌의 활동 없이는 절대로 할 수 있는 것이 아니다. 인간이 살아가는 한 신체활동은 필수이며, 그것에 의해 발육·발달하고 생명을 유지한다. 유아기는 조금씩이긴 하지만 신체활동을 통해 자기의 생활공간을 확대하고, 사회성이나 정

서적인 모든 능력을 향상시키게 된다.

이러한 신체활동의 적극적인 촉진은 인간의 통합적인 발달과정에서 중요한 역할을 한다. 만약 발육기에 최대 자극이 되는 신체활동이 이루어지지 않는다면 유아의 잠재적인 능력이 충분히 발휘되지 않게 된다.

어쨌든 운동을 실천하면 신체적 발달을 조장하고, 나아가 정서적 발달, 사회적 태도의 육성, 건강, 안전을 배려하는 능력 등을 기를 뿐만 아니라 인간형성에도 도움을 준다.

다음에 운동놀이나 운동실천이 유아의 건전한 심신발달에 어떤 역할을 하고 있는지 살펴본다.

❶ 신체적 발육 촉진

운동과 신체의 발육·발달은 따로 떨어뜨려서는 생각할 수 없다. 적절한 신체활동과 운동실천은 신체적 발육을 촉진한다. 즉 전신운동은 체내의 대사를 높이고 혈액순환을 촉진함으로써 뼈나 근육의 발육을 향상시킨한다.

근육은 운동에 의해 서서히 굵어지고, 그것에 비례하여 힘도 세진다. 반대로 근육을 사용하지 않으면 폐용성 위축이 되어 근육이 가늘어지고 힘도 약해진다. 근육은 운동을 하여야 강화된다. 모래놀이나 공던지기, 그네·미끄럼틀·정글짐 등을 이용하는 놀이는 특별한 동기부여가 필요없는 운동이다. 이 운동은 매우 자연스럽게 근력을 비롯한 호흡순환계통의 기능을 높이고, 신체 각 부위의 성장을 촉진한다.

즉 운동을 함으로써 체력이나 건강이 길러지고, 그것이 증진되면 유아는 보다 활동적인 운동놀이를 좋아하게 되며, 동시에 신체의 발육이 촉진된다.

❷ 운동기능의 발달과 촉진 ·······································

 신체활동을 하면 그것에 관련된 모든 기능이 자극을 받아 발달된다. 그런데 시기별로 특별히 발달하는 기능과 그렇지 않은 기능이 있다. 예를 들면 유아의 신경기능은 출생 후 굉장히 현저한 발육을 나타내서 생후 6년간 성인의 약 90%에 도달한다.

 운동기능은 뇌신경계통의 지배하에 있기 때문에 신경기능이 급속히 발달하는 유아기에는 여러 가지 운동을 경험시키고, 운동신경을 지배하는 중추회로를 부설해 두는 것이 중요하다. 유아기에 형성된 신경지배의 중추회로는 쉽게 사라지지 않는다. 따라서 이 시기에는 조정력을 중심으로 한 운동기능 향상을 위한 노력이 바람직하다.

 운동에 의해 운동기능이 발달하면 자발적으로 그 기능을 사용하려는 경향이 나타난다. 이 때문에 운동기능은 더 향상되어 아동기가 끝날 무렵에는 상당한 단계까지 발달하게 된다.

 다양한 운동경험을 시키면 유아의 신체에 발육 자극을 줄 뿐만 아니라 협응성·평형성·유연성·민첩성·리듬·스피드·근력·지구력·순발력 등이 조화를 이룬 체력을 기르고, 공간지각능력도 향상시킬 수 있다.

 다시 말하면 유아기에 다양한 운동을 경험하면 몸의 밸런스와 안정성이 향상되며, 신체 각 부위의 협응성이 증진함과 동시에 전체적·부분적인 여러 협응동작 통제도 할 수 있게 된다. 그리고 몸의 균형이 바로 잡혀 근육의 협동운동이 합리적으로 행해질 수 있게 되면 운동의 정확도나 스피드도 높아지고, 쓸데없는 에너지의 소비를 하지 않게 된다. 유아기에 다양한 운동을 경험하면 기초적 운동능력을 몸에 익히고, 에너지 절약방법을 습득할 수 있게 된다.

❸ 건강증진 ···

전신운동을 하면 혈액순환이 좋아지고, 심장 · 허파 · 소화기관 등의 기능도 좋아진다. 운동을 반복하면 외부환경에 대한 적응력이 몸에 붙고, 피부도 단련되며, 추위에 강하고 감기에 잘 걸리지 않는 체질로 이어진다. 즉 추위나 더위에 대한 저항력을 높이고, 몸의 적응능력을 향상시켜 건강만들기에 크게 도움이 된다.

❹ 정서적 발달 촉진 ···

운동놀이나 운동을 실천하면 정서의 발달이 촉진된다. 또 정서 발달에 동반하여 유아의 운동놀이 및 운동의 내용이 변화한다. 즉 운동과 정서적 발달 사이에도 밀접한 상호관계가 성립한다.

정서는 단순한 생리적인 흥분부터 유쾌 또는 불쾌로 분화하고, 그로부터 나아가 애정 · 기쁨 · 분노 · 공포 · 질투 등으로 세밀하게 나눠진다. 5세 무렵까지는 거의 대부분의 정서를 표현할 수 있게 된다.

이러한 정서는 바람직한 인간관계를 통해 발달된다. 초기에 인간관계의 매개를 이루는 것이 놀이이다. 그중에서도 운동놀이를 매개로 하여 유아와 부모, 형제끼리, 친구 등과의 인간관계가 좀 더 강하게 형성된다.

그리고 운동놀이 및 각종 운동의 실천은 유아가 일상생활 속에서 경험하는 불안 · 분노 · 공포 · 욕구 · 불만 등을 해방하는 안전하고 유효한 수단이 되기도 한다.

심신에 장애가 있는 유아를 걱정 때문에 운동에 참가하지 못하게 하면 운동경험이 부족해진 상태로 자라는 경우가 많다. 자폐아라고 불리는 유아 중에는 충분한 체력이 있음에도 불
구하고 운동에너지를 태우지 못한 채
로 자신의 껍데기 안에 가두어 버려 정
서적으로 악영향을 미치고 있는 경우
도 적지 않는다.

이러한 경험부족을 원래대로 돌리고, 유아의 체내에서 자고 있던 운동
에너지에 불을 지펴 충분히 발산시켜주는 것이 정서적으로나 정신적으로
나 굉장히 중요하다. 움직임이 많고 산만한 유아도 같은 말을 할 수 있다.
움직임이 많다고 해서 억지로 움직임을 규제하면 오히려 아이를 더 산만
하게 만든다.

어쨌든 운동은 건전한 정서의 발달에도 중요한 의미를 가지고 있다.

⑤ 지적 발달 촉진

아이들은 어렸을 때부터 놀이나 운동을 중심으로 한 신체활동을 통해
자기와 외부세계를 구별하게 되고, 자신과 접하는 사람들의 태도를 식별
하며, 물건의 성질이나 취급방법을 학습해간다. 또한 대상물을 올바르게
자각·인식하는 작용이나 이동의 변별력과 같은 지적 학습능력이 길러지
는 운동놀이를 할 때 유아는 상상력을 통해 모든 물건을 도구로 이용한다.
예를 들면 큰 돌은 뜀틀이나 점프대가 되고, 때로는 말이 되기도 한다.

이러한 운동놀이는 상상력을 높이고, 창조성을 기르며, 지적 능력의 발
달에 기여한다. 운동놀이 도구나 자연물의 이용방법을 연구하는 과정에서
사고력이 길러진다. 유아가 다양한 운동놀이 도구를 사용하는 운동을 할
때 놀이도구 사용방법이나 놀이방법·물건의 의의·형태·크기·색·구

조 등을 인식하면서 학습하게 된다. 지적 발달에서는 자신의 의지에 의해 환경이나 물건을 자유롭게 탐색하고 체크하고 시험해가는 것이 중요하다. 때로는 지도자가 지시를 하고, 물건의 성질이나 작용을 가르쳐주는 것도 굉장히 필요하다.

운동놀이를 하면서 성공이나 실패의 경험을 쌓아가는 것이 지적 발달에 큰 도움이 된다.

한편 친구와 함께 운동을 하면 자연스럽게 인지력이나 사고력이 육성되고, 집단사고가 가능해진다. 그리고 모방학습의 대상도 확대되고, 운동경험의 범위도 넓어진다. 유아는 이렇게 자기와 타인에 대해 학습하면서 그 인간관계에 대한 이해를 획득해간다. 나아가 자기의 능력에 대한 지식을 획득하면 유아는 타인의 능력과 비교하게 된다.

생리학적으로 보면 뇌의 기능은 세포 간의 결합이 정밀해지고 신경섬유의 수초화(미엘린초가 뉴런의 축삭돌기에 감기어 자극전달속도를 더욱 빠르게 하는 현상)가 진행함에 따라 향상된다. 신경도 적절히 사용하여야 발달이 촉진된다는 '사용, 불사용의 원리'가 작용하고 있음을 기억해야 한다.

6 사회성 육성

유아가 또래와 함께 운동을 할 때에는 순서를 지키면서 모두와 사이 좋게 지내도록 해야 한다. 또 서로 지키지 않으면 안 되는 규칙이 있어서 유아 나름대로 그 행동규범에 따라야 한다. 운동 실천에서도 집단 속에서의 규율을 이해하기 위해 기본적 요소 · 협력태도 등 사회성을 충분히 경험시켜야 사회생활 영위에 필요한 태도가 몸에 배이게 된다.

또래와 함께 운동함으로써 대인적 인지능력과 사회적 행동력이 길러진다. 또한 또래와 함께 운동함으로써 규칙의 필요성을 알게 되고, 자기의 욕구를 조정하면서 운동을 즐길 수 있게 된다.

❼ 치료적 효과

여러 가지 운동장애가 일어나는 이유는 뇌에서 조화를 이룬 명령이 내려지지 않거나, 제대로 받아들여지지 못하기 때문이다. 운동장애의 치료목적을 운동패턴이나 동작, 혹은 운동기능의 회복에 두고, 그 상태에 따라 신체활동을 시켜야 근육기능 · 평형 · 자세 · 협조 · 운동감각(자신의 신체 각 부위가 어떤 운동을 하고 있는지 인지할 수 있는 감각) · 시각 · 지각 등 운동을 구성하는 모든 인자의 조화를 도모할 수 있다.

기능이 좋지 않으면 유아가 혼자서 생활할 수 있는 능력이나 즐기는 놀이를 못하게 된다. 이때 정상적 · 효율적인 활동패턴을 운동놀이나 운동의 실천 속에서 배워감으로써 유아는 능력에 맞는 요구를 충족시킬 수 있게 된다.

또 말을 하지 못하는 장애가 있는 아이는 사고나 감정을 충분히 표현하지 못하므로 여러 가지 운동을 이용하여 감정이나 욕구의 해방을 도모할 수도 있다.

❽ 안전능력의 향상

운동기능을 몸에 익히면 생명을 지키는 기술을 습득하게 되어 자기의 안전능력 향상에 도움이 된다. 또한 규칙이나 지시에 따르는 능력을 기르게 되어 사고방지로도 이어진다.

❾ 일상생활에의 공헌과 생활습관 만들기

유아기에 다양한 운동을 경험하면 다음과 같은 기본적 생활습관을 몸에 익히게 된다.

» 수면을 잘 취하고, 생활리듬 만들기에 도움이 된다.

» 운동 후의 공복감을 채울 때 편식을 고치는 지도와 연결시키면 식사지도에도 도움이 된다.

» 땀닦기나 손씻기 지도를 도입함으로써 몸을 청결하게 하는 습관이나 태도 만들기에 도움이 된다.

» 여러 가지 운동경험을 통해 유아에게 신체활동의 즐거움을 충분히 맛보게 하면 일상생활은 물론 평생 동안 스스로 적극적으로 운동을 실천할 수 있게 된다. 그리고 '몸을 움직여서 운동하는 것은 즐겁다'는 것을 체득시킬 수도 있다.

» 힘껏 운동함으로써 활동욕구를 채워주고, 운동 자체의 즐거움을 유아 한 명 한 명의 것으로 만들어주면 그 즐거움이 유아의 적극적인 자발성을 끌어내게 된다. 이렇게 되면 일상생활을 통해 운동을 계속적으로 실천하는 태도로 발전시킬 수 있게 된다.

유아기에 다양한 운동을 경험하면 신체발달을 조장할 뿐만 아니라 정서적인 발달, 사회적 태도의 육성, 건강·안전에 배려하는 능력 등을 기르고, 인간형성에 도움이 된다. 따라서 유아체육은 유아에게 필요불가결하며, 굉장히 중요한 활동이라고 하겠다.

09 유아의 운동발달에 영향을 미치는 요인

유아기에 운동능력을 잘 발달시키면 평생을 살아가는 데에 큰 도움이 된다는 것은 모두가 다 아는 사실이다. 그래서 많은 학자들이 유아의 운동능력 발달을 촉진시키는 요인에는 무엇이 있고, 억제시키는 요인에는 무엇이 있는지 알아내려고 많은 노력을 해왔다. 그 결과 유아의 운동능력 발달은 한두 가지 요인에 의해서 결정되는 것이 아니라, 여러 가지 요인들이 복합적으로 상호작용한 결과라는 것을 알게 되었다.

다음은 유아들의 운동발달에 영향을 미치는 요인들에 대하여 지금까지 연구한 결과를 요약해서 정리한 것이다.

» 생물학적 관점에서 볼 때 유아들의 운동능력 발달에 가장 크게 영향을 미치는 요인은 신장이고, 체중은 관련이 아주 적다. 4세이지만 5세와 체중이 거의 같은 아이와, 5세이지만 4세와 체중이 거의 같은 아이의 운동능력을 조사해봤더니 후자의 운동능력이 훨씬 우수하였다.

» 기초체력 중에서 유아의 운동능력과 관계가 깊은 순서는 다리근력＞팔근력＞협응력＞평형성＞유연성의 순이다.

» 5세 유아는 지능이 좋으면 운동능력도 좋지만, 초등학교 고학년이 되면 지능과 운동능력 사이에 아무런 상관도 없게 된다. 즉 어릴 때에는 지적 발달이 운동능력 발달에 크게 영향을 미치지만, 자라면 힘의 세기가 영향을 더 미친다.

» 지능이 정상보다 낮은 아이는 손재주가 필요한 운동은 물론이고 큰 힘을 필요로 하는 운동도 잘못한다.

» 4세에서 6세 사이의 유아들을 대상으로 운동능력이 상위인 집단과 하위인 집단의 성격을 비교해본 결과 상위 집단이 사회성, 유치원 적응

도, 사회적 안정도 등이 더 좋았다.

» 열등감이 강하든지, 변덕스럽든지, 신경질이 있는 유아는 대체적으로 운동능력이 좋지 않았다. 즉 성격도 유아의 운동발달에 영향을 미친다.

» 대도시, 중소도시, 농(산)촌 유아들의 운동능력을 비교해봤더니 4세까지는 농촌 유아가 키는 더 작지만 운동능력은 더 좋았다. 즉 사회적 환경의 차이가 유아들의 운동능력 발달에 영향을 미친다.

» 부모가 유아와 잘 놀아주는 가정의 유아가 운동능력이 더 좋았다.

» 형제가 있는 유아가 없는 유아보다 운동능력이 더 좋았다. 즉 사회적 요인도 유아의 운동발달에 영향을 미친다.

» 친구와 집단놀이를 하는 유아가 운동능력이 좋았고, 여자 친구가 많은 남자 유아는 그렇지 않은 유아보다 운동능력이 더 좋았다. 즉 교우관계가 운동능력의 발달에 영향을 미친다.

» 우리나라의 유아들이 서양의 유아들보다 손과 관련이 있는 운동기능이 잘 발달된다. 즉 문화적인 환경도 유아의 운동능력 발달에 영향을 미친다.

» 유아들의 운동능력을 발달시키는 데는 교육적인 노력(환경적 요인)이 아주 중요하지만, 교육적인 노력만으로 모두 해결되는 것은 아니다. 즉 유아들의 운동발달에는 유전적인 영향도 크다. 표 3-3은 水野忠文이 쌍둥이들의 자료를 통계적으로 분석해서 유전과 환경이 운동능력의 발달에 영향을 미치는 정도를 분석한 결과이다.

» 표 3-3을 보면 신장은 유전이 75%, 환경(교육이나 트레이닝 등)이 25%이다. 그러므로 키가 작은 부모 사이에서 태어난 아기를 키가 크게 하려고 노력해도 별 소용이 없다. 체격요인은 모두 유전의 힘이 강하다.

» 운동능력에서도 50미터 달리기와 버피 테스트와 같이 민첩성과 관련이 있는 종목은 유전의 힘이 강하다. 즉 민첩성은 훈련을 시켜도 발

전을 기대하기 어렵다.

» 평소에 자주 사용하는 오른손의 악력은 환경적인 영향을 많이 받지만, 왼손의 악력은 유전적인 영향이 더 크다.

» 등근력·제자리멀리뛰기·높이뛰기와 같이 다리근력과 관계가 있는 종목은 환경적 요인의 영향이 더 크다.

▶ 표 3-3   유전과 환경이 운동능력 발달에 미치는 영향

항목	종목	유전적 요인	환경적 요인
체격	신장	75	25
	체중	53	37
	가슴둘레	64	36
	허파활량	65	35
근력	악력(右)	26	74
	악력(左)	57	43
	등근력	25	75
운동능력	제자리멀리뛰기	11	89
	높이뛰기	27	73
	공던지기	54	46
	50미터 달리기	79	21
	버피 테스트	68	32

10 유아기의 건강과 운동

❶ 유아기의 건강

WHO의 영·유아 건강에 대한 정의는 '영유아의 성장·발육이 저해되지 않고 순조롭게 진행되는 상태로, 단순히 질병에 감염되지 않았거나 허약하지 않다는 것만을 의미하는 것이 아니라 신체적·정신적 ·사회적으로 문제가 없는 상태'를 건강하다고 한다.

인간의 성장과 발달은 신생아기, 영아기, 그리고 유아기가 생리적·심리적·인지적 측면에서 일생 중 가장 현저한 변화를 경험하는 시기이므로 영·유아의 건강돌보기는 최적의 성장발달을 위한 지지와 보호 및 건강능력의 극대화를 도모하는 데 있다고 할 수 있다.

그러므로 영·유아의 건강을 돌볼 때에는 영·유아는 성인에게 의존적인 존재이긴 하지만, 성인의 축소판이 아니라 나름대로 생리적·심리적·사회적·정신적으로 특성을 가지고 있는 존재라는 것을 잊지 말아야 한다. 또한 영·유아의 발달특성과 바람직한 환경구성에 대한 지식도 있어야 한다.

■ 영·유아의 건강에 영향을 미치는 요인

영·유아의 건강에 영향을 미치는 요인은 매우 다양하다. 또한 그 요인들은 서로 역동적이며 복합적으로 작용하기 때문에 어떤 요인이 얼마만큼 영향을 미친다고 정확하게 설명할 수는 없다.

다음은 영·유아의 건강에 영향을 미치는 요인을 크게 유전적 요인과 환경적 요인으로 구분하여 설명한 것이다. 그러나 이 두 요인이 영·유아의 건강에 미치는 영향이 일정하게 정해진 것이 아니고 시기와 조건에 따라서 달라질 수 있으므로 영·유아의 건강을 유지하고 향상시키는 자료로 활용해야 한다.

➜ 유전적 요인

정자와 난자가 만나서 수정할 때 부모에게서 받는 유전인자들은 영·유아의 신체적·정신적 기초를 형성하고, 특성을 결정짓는 역할을 한다. 건강과 관련된 유전적 요인에는 체질, 심장질환, 암, 당뇨, 정신질환 등이 있다. 따라서 가족력 조사 등의 방법을 통해서 건강에 영향을 미칠 수 있는 유전적 조건을 찾아냄으로써 사전에 예방하거나 조기 치료를 할 수 있다.

➜ 환경적 요인

유전적 요인에 의해서 건강의 기초가 형성된다고 하면, 환경적 요인에 의해서 그 기초를 얼마나 지속적으로 발달시킬 수 있는지가 결정된다고 할 수 있다.

영·유아들의 건강에 영향을 미치는 환경적 요인에는 영양섭취, 수면과 휴식, 위생적인 환경과 생활습관, 정서적 안정, 정기적 건강검진 및 질병의 조기발견과 치료, 치아관리, 적절한 운동 등이 있다.

» **영양섭취** : 성장·발육이 왕성하고 활동량이 많은 영·유아기에는 단위체중당 소모하는 열량 또는 영양소가 성인에 비해서 훨씬 많다. 이는 영·유아들의 신체가 자라고, 활발하게 몸을 움직이며, 인지발달과 정서발달을 위해서도 열량을 소모하기 때문이다. 이 시기에 필요한 영양분이 충분히 공급되지 않으면 영양장애 또는 영양결핍이 될 수 있을 뿐 아니라 질병에 노출되기도 쉽다. 그러므로 보건가족복지부에서 발표하는 영·유아들의 영양권장량을 참고하고, 개개 영·유아의 발육상태와 활동량을 고려하여 균형 잡힌 영양섭취를 할 수 있도록 도와주는 것이 바람직하다. 또한 영·유아는 위가 적어서 한꺼번에 많은 양의 음식을 먹을 수 없으므로 자주 음식을 섭취하도록 해야 한다.

» **수면과 휴식** : 수면은 피로를 회복하고 에너지를 재충전하기 위해서 꼭 필요한 생리적 현상이다. 영유아에게 필요한 수면시간이나 숙면의 정도는 개인차가 있지만 일반적으로 0~2개월 18~20시간, 2~6개월 16~18시간, 7~12개월 14~16시간, 1~2세 12~14시간, 2~3세 12~15시간(낮잠 시간 포함), 4~5세 유아는 10~12시간, 5세 이상 8~10시

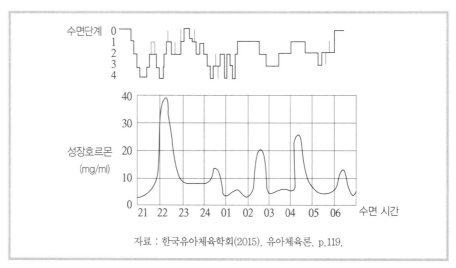

자료 : 한국유아체육학회(2015). 유아체육론. p.119.

▶ 그림 3-17 수면 깊이와 성장호르몬의 변화

간의 수면이 필요한 것으로 알려져 있다. 그림 3-17은 잠을 자는 동안에 성장호르몬이 분비되는 양이 변화하는 것을 그래프로 그린 것이다. 그림에서 밤 10시부터 11시 사이에 가장 깊은 잠을 자고 성장호르몬도 가장 많이 분비된다는 것을 알 수 있다. 그러므로 성장기에 있는 유아와 초등학생들은 밤 10시 이전에 잠을 자고 새벽에 일어나는 습관을 들여야 한다.

» 위생적인 환경과 생활습관 : 위생적인 환경을 유지하고 자신의 몸을 깨끗이 하는 생활습관을 기르는 것은 건강을 유지하는 데에 아주 중요한 일이다. 위생적인 환경의 조건에는 깨끗한 가정환경, 충분히 넓은 공간, 개방된 공간이 있을 것, 통풍과 환기가 잘될 것, 적절한 온도와 습도를 유지할 수 있을 것 등이 포함된다. 생활습관은 계절이나 날씨에 맞는 깨끗한 의복을 입는 습관, 손발 깨끗이 씻고 손발톱을 깨끗이 깎는 습관, 일찍 자고 일찍 일어나는 습관 등이 중요하다.

» **정서적 안정** : 영·유아들도 신체적뿐만 아니라 정서적으로도 편안한 환경에서 살아야 건강하게 자랄 수 있으며, 불안한 환경이나 스트레스가 심한 상황에 놓이게 되면 여러 가지 신체적·정신적 질환에 걸릴 확률이 높다.

» **정기적 건강검진 및 질환의 조기발견과 치료** : 질병에 걸리지 않도록 예방하기 위해서는 건강검진을 정기적으로 받는 것이 중요하다. 정기적 건강진단을 하면 질병이나 선천성 기형 등을 조기에 진단할 수 있을 뿐 아니라, 성장과 발육이 정상적으로 이루어지고 있는지도 알아볼 수 있다. 영·유아가 질병에 걸리거나 발육에 이상이 있으면 전문의와 상의해서 신속하게 치료해야 한다. 영·유아는 하루가 다르게 성장 발육되는데, 병을 치료하지 않고 방치하면 성장 발달이 멈추어지거나 지체되고, 그렇게 되면 나중에 회복할 수 없는 경우도 많기 때문이다.

» **치아관리** : 치아는 음식물에 들어 있는 영양분을 섭취할 수 있도록 음식물을 잘게 부수어주는 역할을 하므로, 평소에 이를 잘 닦는 습관을 갖게 하여 충치가 생기지 않도록 치아관리를 해야 한다.

» **운동** : 규칙적인 운동은 건강을 유지하기 위해서 아주 중요한 요인이다. 운동을 통해 생명을 유지하는 데 중요한 기관인 심장과 허파를 튼튼하게 할 수 있고, 신체 각 부위의 고른 발달과 적응을 도와주기 때문에 영·유아에게도 중요하다.

유아체육지도자의 역할

유아체육지도자는 유아들을 사랑하고 존중하며, 유아들과 부모로부터 신뢰와 사랑을 받는 지도자가 되어야 한다. 그러기 위해서는 유아들의 영양과 건강을 잘 관리하고, 여러 가지 위험으로부터 유아들을 안전하게 보호해야 하며, 보육현장에서 일어나는 모든 일에 대해 전문적으로 판단하고 결정을 내리는 의사 결정자 역할을 해야 한다.

다음은 유아체육지도자들이 반드시 해야할 일들을 간추린 것이다.

» 유아들의 건강상태는 시기나 조건에 따라 달라질 수 있다는 것을 인식하고 유아들에게 적절한 급식을 계획하고 운영해야 하고, 유아들이 가지고 있는 영양과 관계되는 문제점을 파악하여 부모 및 전문가와 함께 해결하려고 노력해야 한다.

» 아동기 질환의 유형과 증상 및 걸리기 쉬운 전염성 질환의 원인을 바르게 이해하여 일상생활에서 이를 예방할 수 있는 환경을 조성해 줄 수 있어야 한다.

» 유아에게 발생할 수 있는 안전사고의 원인을 바르게 이해하고 이를 예방할 수 있는 안전한 환경을 조성해 주며, 필요한 경우 정확한 방법으로 응급처치를 할 수 있어야 한다.

» 유아들에게 건강을 유지하고 안전한 생활을 하는 데 필요한 지식과 태도를 가르치는 건강 및 안전교육을 실시해야 한다.

» 유아기에 형성된 건강한 생활습관과 태도는 성인기까지 지속되므로 건강을 유지하는 데에 필요한 지식 · 기술 · 생활태도 등을 바르게 형성할 수 있도록 도와야 한다. 그러기 위해서는 유아 스스로 자신의 몸과 주변환경을 깨끗이 하고 규칙적으로 생활하며, 적절한 영양을 섭취하고 휴식하며 질병에 걸리지 않도록 미리 예방하는 습관을 기르도록 하여야 한다.

» 유아가 신체활동에 적극적이고 활발하게 참여하도록 유도하여 기본적인 운동능력과 기초체력을 증진시켜야 한다. 유아기에 기본적인 운동능력을 적절히 발달시키지 못하면 성장하여서 놀이나 게임에 성공

적으로 참여할 수 없을 뿐만 아니라 체력이 약화되고 자신감도 떨어
지게 된다.

❷ 유아기의 운동

유아기 어린이의 운동양식은 대개 좌우대칭이다. 운동연습을 하면 그
효과가 특정 부위에만 나타나는 것이 아니라 신체 전체의 성장·발달로
이어진다. 이것은 섭취한 영양분이 온몸에 골고루 보내지는 것과 똑같다.

유아기의 체력발달은 지금까지 경험한 적이 없는 새로운 운동패턴을
연습해서 차차 성숙한 동작으로 변해간다. 체력이 다음 단계로 발달하기
위해서는 신체적으로 준비가 되어 있어야 한다. 그런데 특정한 체력이 발
달하는 데에는 최적기와 임계기가 있다.

유아기 운동의 또 다른 특징은 운동능력과 운동에 대한 흥미에서 남녀
의 성차가 나타나기 시작한다는 것이다.

■ 유아기 운동의 효과

유아기에는 놀이중심 교육을 통해서 유아들의 건강체력과 지각능력 및
사회성을 기르는 것이 가장 중요하다.

다음은 유아들에게 운동을 시켰을 때에 나타나는 효과를 요약한 것이다.
» 유아기에 적절한 큰근육운동을 하면 근육과 내장기관을 발달시키고
혈액순환을 촉진시킨다. 유아들의 근육은 가냘프고 뼈에 잘 부착되어
있지 않기 때문에 쉽게 피로해지고, 피로에서 빠르게 회복되므로 운
동 중에 휴식시간을 자주 가져야 한다.

» 지능발달이 가장 활발한 시기인 유아기에 운동을 하면 시각 · 촉각 · 평형감각 등 각종 감각기관을 발달시키고, 움직임의 개념을 터득하는 데에 도움이 된다. 신경조직이 발달되어 기억력이 증가하고 학습능력이 향상된다.

» 유아기의 운동은 발육을 촉진시킨다. 특히 키가 자라는 데에 도움이 되고, 근육과 골격이 발달된다.

» 유아기의 운동은 정서적 심리적 안정과 사회성 함양에 크게 도움이 된다. 특히 단체로 하는 운동놀이를 통해서 순서를 지키고 사이좋게 지내는 등 사회생활에 필요한 태도를 익힐 수 있다.

■ 유아기 트레이닝의 효과

유아가 이런저런 운동을 연습하면 그 효과가 나타나는 방법이 연습한 내용에 따라서 달라진다. 예를 들어 '반복해서옆으로뛰기'와 '제자리멀리뛰기'를 할 때에는 연습한 효과가 나타나는 방법이 상당히 다르다.

다음은 유아의 트레이닝 효과를 분명히 밝힐 목적으로 일본 학자 3명(勝部, 原田, 後藤)이 유치원에 다니는 5세 남아와 여아를 대상으로 몇 가지 운동 종목을 매일 1회씩 2개월 동안 연습시킨 집단과 연습시키지 않은 집단을 비교한 결과를 요약한 것이다.

» 남아는 모든 종목에서 트레이닝의 효과가 있었다.

» 여아는 순발력과 근지구력을 향상시키는 종목에서 트레이닝의 효과가 전혀 없었다.

» 트레이닝 중간에 연습을 하지 않았던 여름방학 1개월 동안에 남녀 어린이 모두 운동능력이 저하되었다.

» 연습을 시키지 않았던 집단도 3개월이 지났을 때 운동능력이 모두 좋

아졌다.

다음은 제2차 실험으로 연습하는 종목을 늘리고, 실험 대상 연령을 3세에서 5세 후반까지 0.5세 단위로 세분해서 실험한 결과를 요약한 것이다.

» 유아들의 트레이닝 효과가 대단히 높았다(연습을 시킨 유아들의 각 종목의 평균치가 연습을 시키지 않은 0.5세 많은 유아들의 평균치보다 높았다).

» 민첩성 또는 교치성과 관련이 있는 종목은 모든 연령대에서 트레이닝 효과가 높았다.

» 근력과 관계가 있는 종목은 다른 종목에 비하여 트레이닝 효과가 별로 없었고, 나이가 어릴수록 그런 경향이 짙게 나타났다.

» 집중력을 요하는 외발서기는 환경의 영향을 많이 받아서 유아끼리도 차이가 심했고, 전체 평균도 의미있는 차이가 나타나지 않았다.

» 근력과 관련이 있는 종목은 남자 어린이가, 평형성 또는 교치성과 관련이 있는 종목은 여자 어린이가 더 우수했다.

» 남녀의 성차는 4세 후반부터 나타나기 시작하였다.

이상의 실험 결과로 다음과 같은 것을 유추할 수 있다.

» 방학 동안에 유아들의 운동능력이 저하되었다는 것으로 보아서 유아들은 계속적으로 보육하는 것이 아주 중요하다.

» 운동종목에 따라서 트레이닝 효과가 어릴 때가 높은 것도 있고 나이가 많을 때가 높은 것도 있다. 그러므로 나이가 어린 유아는 민첩성, 교치성, 평형성 등과 관련이 있는 종목의 운동을 주로 시켜야 한다. 중간 나이의 유아들은 물건의 움직임에 대응하거나 높은 곳에서 움직이는 운동 또는 변형된 자세에 협응하는 동작을 주로 연습해야 한다. 그리고 나이가 많은 유아들에게는 근력을 필요로 하는 운동을 주

로 시켜야 한다.

다음은 다른 학자들이 유아들의 운동효과를 알아보기 위하여 실험한 결과들이다.

» 2세 아이들에게 사다리 오르기, 단추 잠그기, 가위질을 12주 동안 연습을 시킨 다음 연습을 시키지 않은 집단과 비교했더니 차이가 없었다.

» 5세의 아이들에게 뜀뛰기, 공 던지기, 공 굴리기 등을 6개월 동안 연습을 시킨 다음 연습을 시키지 않은 아이들과 운동기능을 테스트해서 비교했더니, 던지기와 같이 복잡한 기능에서는 연습한 쪽이 우수했지만, 뜀뛰기와 같이 기본적인 운동기능에서는 차이를 보이지 않았다.

» 호피족 유아들은 운동이 제한된 상태에서 길러지지만, 일반 유아들과 같은 나이에 보행을 할 수 있게 된다.

» 유아들에게 운동을 지도할 때는 '빠르고, 힘있게'가 아니라 '안전하게, 안정된 상태로, 많은 운동 패턴을' 성취할 수 있도록 지도해야 한다.

❸ 유아기 운동의 권장지침

■ WHO의 신체활동 지침

» 신체활동 부족은 사망의 세계적 원인 중에서 네 번째이다. 많은 나라에서 신체활동 부족현상이 많아짐에 따라 비전염성 질환의 유병률 증대와 인구 전체의 건강 악화가 초래되고 있다.

» 건강을 위한 세계보건기구 신체활동 권장지침의 초점은 인구 전체의 신체활동 수준 향상을 통한 비전염성 질환의 일차예방에 있다.

» 권장지침은 5~17세의 소아청소년, 18~64세의 성인, 65세 이상의 노
인을 대상으로 하였다.

➜ 적용대상과 배경

이 권장지침은 5~17세의 특별한 금기사항이 없는 모든 소아청소년에
게 적용된다. 신체활동 권장 수준은 일상생활활동 수준을 넘어서야 한다.

신체활동량이 많을수록 심장·허파와 대사건강 지표도 더 많이 개선되
는 용량반응 효과가 나타난다. 특히 어릴 때부터 다양한 고강도의 신체활
동을 유지하면 어른이 되어서도 위험요인이 적고, 심혈관질환·당뇨병의
유병률과 사망률이 낮다.

이 연령층의 근력강화활동은 운동장에서의 놀이, 나무 타기나 밀고 당
기기 놀이와 같은 비조직적 활동도 가능하다. 뼈 강화활동도 놀이, 달리기,
회전이나 점프의 일부로 수행될 수 있다.

상해 위험을 줄이기 위하여 잠재적으로 위험을 야기할 수 있는 모든 종
류의 활동에서 헬멧 등의 보호장구 착용을 장려해야 한다.

➜ 5~17세의 소아청소년

5~17세의 어린이와 청소년의 신체활동에는 가정·학교·지역사회에
서 하는 놀이, 게임, 스포츠, 이동, 여가, 체육수업 또는 계획된 운동 등이
포함된다.

심폐체력 및 근력, 뼈 건강, 심혈관 및 대사적 건강의 생물학적 지표를
개선하고 불안 및 우울증 증상을 감소시키기 위해서는 다음과 같은 사항
을 권장하고 있다.

» 5~17세의 어린이와 청소년은 매일 적어도 합계 60분의 중간강도 내
지 격렬한 강도의 신체활동을 해야 한다.

» 매일 60분 이상의 신체활동을 하면 건강에 유익한 점이 더 많이 있을 것이다.

» 매일 하는 신체활동의 대부분은 유산소 활동이어야 한다. 근육과 뼈 강화활동을 포함한 격렬한 강도의 활동을 적어도 주 3회 이상 실시한다.

아이들의 신체활동 권장시간은 나라마다 조금씩 다르다. 공통점은 5세 이하의 경우 하루 3시간, 5세 이상 아이들은 최소 60분 이상 유산소 운동이 필요하다는 점이다. 60분 이상의 신체활동을 추가로 할 경우 건강상 유익하다는 점 또한 같다. 특히 유아기의 신체활동은 비만 예방뿐 아니라 아이들의 신체 발육, 사회성 발달, 지적 발달, 정서 발달 등에도 큰 영향을 미친다고 알려졌다.

각국의 유아신체활동 권고기준을 보면, 중간 및 고강도 수준의 운동을 주당 7회, 60분 이상 할 것을 가장 많이 권고하였고, 그다음은 중간강도 수준의 운동을 주 3회 이상, 30분 이상 할 것을 권고하고 있다.

유아들에게 운동을 권장하는 가장 큰 이유 중 하나는 소아비만 때문이다. 적절한 근력과 체지방을 유지하기 위해서는 운동이 중요할 수밖에 없다.

미국의 경우에는 보건성, 국립보건원, NASPE 등에서 유아 및 아동들에 대한 신체활동 가이드라인을 제시하고 있는데, 만 5세 이하의 유아들은 매일 1시간 이상의 신체활동을, 5~11세 어린이는 건강을 위해 중강도의 격렬한 운동을 매일 적어도 60분 이상 실시해야 할 것을 권장하고 있다.

우리나라에서는 누리과정에서 하루에 1시간 이상 신체활동을 할 것을 권고하고 있다.

■ 국내/외의 신체활동 지침 연구 현황

➜ 미국의 신체활동 지침(2008 Physical Activity Guidelines for American, U.S. Department of Health & Human Services, 2008)

미국의 연방정부가 미국인을 위한 2008 신체활동 가이드라인을 발행하였다. "미국인을 위한 신체활동 가이드라인"은 1주일에 최소 150분씩 중간강도의 신체활동(예 : 빠르게 걷기 등)을 했을 때 건강상 이득이 나타난다고 명시하였다. 어린이와 청소년, 성인, 노인, 임신기, 산후기, 장애인 그리고 만성질환자를 위한 주요 가이드라인도 제시하고 있다.

➜ 일본의 신체활동 지침(건강증진을 위한 운동지침, 2006)

"일본인의 건강증진을 위한 운동지침 2006"이 2006년에 발표되었다. 강도의 범위로 METs를 사용하였으며, 중재 목표로 1일 만보(10,000step/day)를 제시하였다. 행동습관화 모형(TTM)을 이용한 신체활동 증진방안을 언급하였으며, 신체활동량의 목표를 1주간 23 엑서사이즈의 활동적인 신체활동(운동, 일상 신체활동)을 제시하였다.

➜ 중국의 신체활동 지침(중국 성인 신체활동 가이드라인, 2011)

중화인민공화국 위생부 질병예방통제국에서 2011년 6월에 발표하였다. 신체활동의 에너지소모량은 1천보당량이라는 수치상의 통일된 단위를 사용하였다. 1천보당량은 보통사람이 중간 속도(4km/h) 걷기를 10분간 수행하는 것에 상응한다(약 1천 보). 1일 최소 4~6천보당량의 유산소운동을 해야 한다고 권고하고 있으며, 신체활동량은 매주 8~10 대사당량-시간(MET-h)까지 수행할 것을 권장하고 있다.

➜ 캐나다(Canadian Physical Activity Guidelines, 2011)

Canadian Society for Exercise Physiology와 Public Agency of Canada의 공동작업을 통하여 1998년 성인을 위한 신체활동지침의 발표를 시작으로 노인은 1999년, 어린이 · 청소년은 2002년에 각각 발표하였다. 신체활동지침의 내용을 보면 생애주기 구분이 세분화되어 있는 것이 특징이다. 4세 미만은 매일 60분 신체활동, 5~11세에는 매일 60분 중간 · 고강도의 신체활동, 부모와 함께 근력강화운동 주 3회로서 부모와 함께하는 신체활동 강조, 12~17세에는 1일 60분 주 3회 중간 · 고강도 신체활동을 강조, 성인(18~64세)은 주 150분 중간 · 고강도 신체활동, 65세 이상은 주 150분 중간 · 고강도 신체활동을 권고하고 있다.

➜ 호주(National Physical Activity guidelines, 2007~2008)

National Health and Survey에서 5년간 신체활동 패턴을 연구하였고, 비만 예방을 위해 1998/90~1995년 조사, 1997년 NHMRC(National Health and Medical Research Council)에서 발표하였다. 수준별 신체활동을 1일 60분 권고하고 있으며, 건강증진과 정책에 대한 내용을 다루고 있다. 5세 미만의(2010) 경우 1일 3시간 신체활동으로 활동적인 놀이를 수행, 5~12세에(2004)는 1일 60분 중간 · 고강도 신체활동, 12~18세에(2004)는 중간강도(활발히 걷기, 자전거)와 고강도 신체활동(축구, 달리기, 수영)을 권고하고 있다.

➜ 우리나라(2007년 보건복지부의 국민 건강증진기금 연구사업의 결과)

신체활동 지침에는 중간강도 신체활동을 하루에 30분 이상 1주일에 5일 이상 실천한다. 보다 나은 체력을 원한다면, 평소보다 숨이 훨씬 더 차는 격렬한 신체활동을 한 번에 20분 이상, 1주일에 3일 이상 규칙적으로 하는 것이 좋다고 권고한다. 어린이와 청소년은 매일 60분 이상씩 중간강도 또는 격렬한 신체활동을 할 것을 권고하고 있다.

■ 보건복지부의 어린이 및 청소년 신체활동 지침

➜ 기본지침

» 규칙적으로 신체활동을 하면 몸을 건강하게 하고 체력을 키우며 다양한 만성질환을 예방한다.

» 신체활동은 가정이나 학교에서 하는 스포츠활동 · 체육수업 등의 운동, 걷기 · 자전거타기 등의 이동 등을 포함하며, 전반적으로 활동적인 습관을 갖는 것이 중요하다.

» 권장 신체활동은 가장 기본적인 수준이므로 좀 더 건강에 도움이 되려면 신체활동의 강도를 높이거나 활동횟수를 늘리는 것이 좋다.

» 움직이지 않고 보내는 여가시간을 하루 2시간 이내로 줄이는 것이 좋으며, 약간의 신체활동이라도 하는 것이 건강에 좋다.

» 청소년들이 즐겁고 다양한 신체활동에 참여하도록 적합한 신체활동을 제안하고 적극적인 활동을 격려하는 것이 매우 중요하다.

■ 유산소 신체활동

중간강도 이상의 유산소 신체활동을 매일 1시간 이상하고, 최소 주 3일 이상은 고강도의 신체활동으로 실시한다.

» 자각강도란 신체활동 또는 운동을 수행하는 노력 정도에 따라 겪는 심리적 또는 신체적인 부담을 의미한다. 휴식할 때의 자각강도를 1로, 본인이 수행할 수 있는 최대능력 또는 감당할 수 있는 가장 높은 강도를

10으로 설정하고, 1~10 사이의 자각강도는 균등한 비율로 생각할 수 있다. 중간강도는 호흡이 약간 가쁜 상태로 5~6 사이의 자각강도이며, 고강도는 호흡이 많이 가쁜 상태로 7~8 사이의 자각강도이다.

▶ 표 3-4   어린이 및 청소년의 유산소 신체활동 강도별 자각강도와 활동(예)

자각강도 구분	1	2	3	4	5	6	7	8	9	10	비고
중간강도 신체활동					심장박동이 조금 빨라지는 또는 호흡이 약간 가쁜 상태						
고강도 신체활동							심장박동이 조금 빨라지는 또는 호흡이 약간 가쁜 상태				
활동(예)	휴식/ 취침			걷기	빨리걷기 자전거타기 배드민턴연습	축구연습 농구연습 활동적인놀이	배드민턴시합 달리기 /줄넘기 인라인스케이트	농구시합 축구시합			

■ 근력운동

근력운동을 1주일에 3일 이상 중요한 신체부위를 모두 포함하여 실시한다. 근력운동을 한 신체부위는 하루 이상 휴식을 취한 후 다시 하는 것이 좋다. 근력운동으로는 체중부하 운동(정글짐, 하늘 사다리, 웨이트트레이닝)이 좋다.

제4장

유아 운동발달 프로그램의 구성

01 운동발달 프로그램의 기본원리

① 적합성의 원리

아이에게는 영역별 발달이 활발하게 일어나는 시기가 있다. 이 시기에 아이들은 각 영역에 맞는 다양한 정보를 습득하고 조작하면서 배우고 익혀나가는데, 이 시기를 '결정적 시기' 또는 '민감기'라고 한다.

민감기는 태어나서 6세까지의 시기에 대부분 진행된다. 이 시기에 적절한 자극을 제대로 주면 아이는 제대로 발달할 수 있지만, 이 시기를 놓치게 되면 그 영역의 발달이 더뎌진다.

그러므로 유아들의 운동프로그램을 구성할 때에는 민감기를 고려해서 적절한 운동을 경험할 수 있도록 해주어야 한다는 것을 '적합성의 원리'라고 한다. 표 4-1은 민감기의 종류, 출현시기와 함께 간단한 설명을 표로 만든 것이다.

아이들의 민감기에는 다음과 같은 활동을 주로 해주어야 좋다.

■ 아이의 욕구가 충족되도록 도와준다

아이가 하고 싶은 것을 하고, 보고 싶은 것을 보고, 만지고 싶은 것을 만질 수 있도록 해주어야 한다. 다시 말해서 아이가 바라는 것이 있다고 느껴지면 아이의 욕구를 즉각적으로 채워주려고 노력해야 한다는 것이다.

버릇이 잘못 들까봐 도와주지 않는 부모도 있고, 아이가 탐색을 채 하

▶ 표 4-1 　　민감기의 종류와 시기

민감기	출현시기	설 명
양손 사용	2개월~2세	손을 사용해서 자신의 몸을 만지고 손을 빨기도 한다. 손을 뻗어 물건을 잡는 등 다양하게 활용한다.
질서	6개월~2세	사물과 공간에 대한 관심, 자신의 신체에서 시작해서 환경으로 관심과 공간감각을 확장시킨다.
예의	2.5~4세	예의 바른 것을 좋아하며 모방을 잘한다. 아이가 인사를 하지 않더라도 부모가 계속 모범을 보여야 한다.
운동	2~4세	걷기 시작하면서 계단을 오르고 선을 따라 걷고, 경사를 오르는 등의 행동을 한다. 이런 활동을 충분히 해야 신체가 정상적으로 발달한다. 협응력과 자기조절력을 습득한다.
언어	4개월~6세	옹알이부터 시작되고, 자발적인 언어 발달은 2세 반에서 6세까지 지속된다. 사람의 목소리나 입모양에 대한 관찰과 모방을 통해 언어능력을 발달시키므로 부모는 다양한 형태의 말을 해주는 것이 좋다.

기도 전에 모든 행동을 다 해주는 부모도 있는데, 이 두 경우 모두 아이의 발달을 저해한다. 아이가 스스로 해볼 수 있도록 환경을 조성해주는 것이 중요하다.

■ 근육의 발달을 도와준다

이 시기의 아이들은 근육이 점점 발달하면서 점점 활동량이 늘어난다. 손을 뻗어서 쥘 수 있게 되는 생후 5~6개월이 되면 손을 끊임없이 사용한다. 물건에 손도 대보고 잡기도 해 보고 옮기거나 던지기도 해보고 입에 무조건 넣어보기도 한다. 보고 듣고 만지고 냄새 맡고 입으로 느껴보는 과정을 통해 물건과 세상에 대한 정보를 수집하고 두뇌를 깨우는 것이다.

또 손과 같은 작은 근육뿐만 아니라 몸 전체의 대근육도 발달한다. 목을 가누고, 몸을 뒤집고, 기어가는 등 이동능력이 점점 발달하면서 아이가 바라는 물건이 생기면 스스로 다가가기도 한다.

부모님이 이 시기에 해 주어야 할 일은 아이에게 위험한 물건이 있다면 아이가 보기 전에 미리미리 치워놓거나 위험하지 않도록 조치를 취하는 것이다. 아이가 관심이 있어서 다가가는 중에 부모가 물건을 치우거나 제지하면 아이는 무척 당황하고, 욕구가 충족되지 않아 좌절한다. 위험한 것이 아니라면 아이가 물건을 충분히 탐색할 기회를 만들어주기 위해서 만져보도록 놔두는 것이 좋다.

■ 아이의 행동에 반응을 보여준다

아이가 옹알이를 할 때마다 그에 대해 반응을 보여주는 것이 중요하다. 아이는 자신의 행동이 결과물이 되어 돌아올 때 행동의 연관성을 깨닫게 되고, 점점 더 많은 소리를 내게 되므로 아이의 욕구 충족뿐만 아니라 언어 발달에도 크게 도움이 된다.

② 방향성의 원리

발달이란 수정에서 사망에 이르기까지 연령의 변화와 함께 나타나는 신체적 측면과 심리적 측면에서 일어나는 모든 변화과정이라 할 수 있다. 그러나 유아체육에서는 유아들이 발달하는 것만 다루고, 유지되거나 쇠퇴되는 것은 다루지 않는다.

아동의 발달은 다음과 같이 일정한 순서와 방향에 따라서 이루어진다. 따라서 유아들을 위한 운동프로그램을 구성할 때에도 그 순서와 방향에 부합되게 해야 된다는 것을 '방향성의 원리'라고 한다.

» **두미의 원리** : 머리쪽이 먼저 발달하고, 다음으로 팔다리 방향으로 발달한다.

» **중심말초의 원리** : 발달은 중심에서 말초부위로 이루어진다. 처음에는 팔을 움직이는 운동을 하다가 차차 손목과 손가락을 순서대로 움직이게 된다.

» **세분화의 원리** : 모든 운동은 전반적인 전체운동이 나타난 다음 세분화된 특수운동이 나타난다. 유아가 장난감을 잡을 때 처음에는 낚아채듯이 손을 모두 펼치고 붙잡지만, 자라면서 점점 손목과 손가락을 사용하여 정교하게 물건을 집을 수 있게 된다.

❸ 특이성의 원리

발달은 일정한 순서와 방향에 따라 이루어지지만, 개인에 따라 다양한 차이가 있다. 아동들은 연령 · 성별에 따른 보편적인 발달 경향을 따르지만, 그들의 외모가 다른 것만큼 발달에서도 개인차를 보인다.

예를 들어 동일한 4세 아동이라 할지라도 언어발달이 빨라서 타인과 자유롭게 의사소통을 하는 유아가 있는가 하면, 가족구성원 간의 의사소통 수준에 머무는 유아도 있다. 또 어떤 아동은 사회성 발달에 비해 신체발달이 보다 잘 이루어진 반면, 다른 아동은 사회성 발달이 더 우세하기도 하다. 이처럼 발달영역 간에도 개인차를 나타낸다.

이와 같이 발달에는 개인차가 있으므로 유아들을 위한 운동프로그램을 구성할 때에는 개개인의 발달차이를 고려해야 한다는 것을 '특이성의 원리'라고 한다.

❹ 안전성의 원리 ···

유아들은 호기심이 강하고 주의력과 조심성이 부족하기 때문에 위험한 환경을 인식하기도 어렵고 적응도 잘 못한다. 그러므로 유아체육 지도자는 체육활동이 안전하고 충분한 공간 내에서 이루어지도록 지도해야 한다는 것을 '안전성의 원리'라고 한다.

❺ 연계성의 원리 ···

연계성의 원리는 다음과 같은 3가지 측면에서 설명할 수 있다.

» 교육과정의 내용이 여러 가지 측면에서 서로 연관성이 있어야 한다. 예를 들어 3세 유아들의 운동프로그램 구성내용과 4세 유아들의 운동프로그램 구성내용은 서로 연관성이 있어야 한다는 것이다.

» 유아들의 성장발달 과정은 미숙한 단계에서부터 점차로 진보적인 단계로 진행된다는 것을 고려해서 유아들의 운동프로그램을 구성할 때에는 전단계의 발달을 이어받고, 동시에 다음에 진행될 발달을 촉진시켜 줄 수 있도록 구성해야 한다.

» 유아들에게 운동을 시킨다고 해서 운동능력만 발달하는 것이 아니라 인지능력, 감각능력, 정서적인 측면, 사회적인 측면에서의 능력 등이 서로 영향을 미치면서 모두 발달하기 때문에 유아들의 운동프로그램을 구성할 때 운동능력 이외의 다른 능력들도 향상시킬 수 있도록 구성해야 한다.

위의 3가지 방법 중 어떤 방법으로 연계성의 원리를 설명하든 관계없이 수업내용들이 서로 관련되고 일관성이 있어야 한다는 점에서는 같다.

❻ 다양성의 원리 ··

유아들은 집중력이 떨어지고 쉽게 흥미를 잃어버리는 특성이 있기 때문에 유아들의 흥미를 끌려면 운동프로그램을 아주 다양하게 구성해야 한다. 그리고 유아들의 운동은 아주 세련되고, 힘차고, 빠르게 하는 것이 목적이 아니고 가급적이면 많은 종류의 운동을 폭넓게 경험할 수 있도록 하는 것이 목적이 된다.

따라서 그 목적을 달성하기 위해서는 운동프로그램을 아주 다양하게 구성해야 하는데, 이것을 '다양성의 원리'라고 한다.

02 유아 운동프로그램의 구성요소

❶ 유아 운동프로그램 구성 시 고려사항 ····································

■ 일반적인 고려사항

유아들의 운동프로그램을 구성할 때에는 일반적으로 다음 사항들을 고려해야 한다.

» 교육대상 : 교육대상으로 하려는 영 · 유아의 나이 · 요구 · 흥미 · 발달수준 등을 정확하게 파악하고 고려해서 프로그램을 구성해야 한다.

» 가정환경 및 부모의 요구 : 교육대상인 유아들의 가정환경과 그 부모들의 요구사항을 충분히 고려해서 프로그램을 구성해야 한다.

» **지역사회의 실정** : 교육대상인 유아들이 살고 있는 지역사회의 특성, 사회문화적인 환경, 지리적 특성, 주민들의 생활양식, 사회시설 등도 고려해서 학습내용과 학습활동을 선정해야 한다.

» **교육과정** : 교육과정을 편성할 때는 누리과정 등에서 법으로 정해놓은 영역과 영양, 건강, 안전, 지역사회와의 교류, 부모에 대한 서비스 등을 고려해서 편성해야 한다.

» **수업일수와 시간** : 연간 수업일수는 공휴일을 제외하고는 연중무휴를 원칙으로 하는 것이 좋다. 하루 수업시간도 부모들의 근무시간 등을 고려해서 정해야 한다.

» **학급당 원아의 수** : 교육시설의 형태와 원아들의 연령대에 따라 학급당 원아의 수를 정하고, 학급당 원아의 수를 고려해서 프로그램을 구성해야 한다.

» **보육시설** : 유아들은 주위환경과 상호작용을 하면서 다양한 활동을 통해서 자란다. 그러므로 보육시설의 자연환경은 물론이고 놀이시설 등 각종 교육시설도 중요한 역할을 하므로 잘 고려해서 프로그램을 구성해야 한다.

■ 운동능력 고려사항

유아들은 나이에 따라서 할 수 있는 운동이 다를 뿐만 아니라, 인지적 · 심리적 · 사회적 측면에서의 발달 정도도 다르다. 따라서 유아들의 운동프로그램을 구성할 때에는 나이에 따른 능력차이를 반드시 고려해야 한다.

다음은 나이별로 유아가 할 수 있는 운동의 종류를 정리한 것이다.

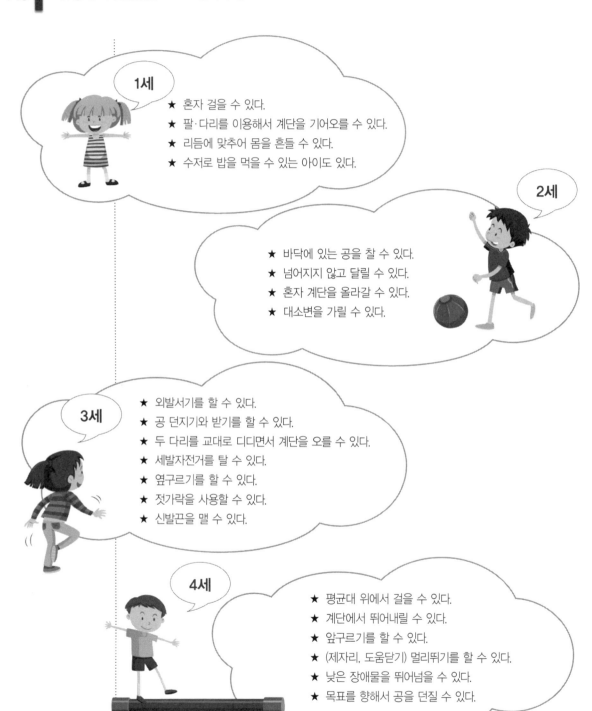

5세

★ 철봉에 매달려 있을 수 있다.
★ 두발자전거를 탈 수 있다.
★ (큰, 작은) 공 던지기, 받기, 튀기기를 할 수 있다.
★ 그물 오르기를 할 수 있다.
★ 구름다리를 건널 수 있다.
★ 줄넘기, 수영, 스케이트를 탈 수 있다.
★ 급하게 정지하고, 방향을 전환할 수 있다.
★ 간단한 협응동작을 할 수 있다.

6세

성인이 할 수 있는 거의 모든 동작을 다 할 수 있지만
★ 힘의 세기가 약하고,
★ 속도가 느리고,
★ 정확도가 떨어지고,
★ 동작이 매끄럽지 못하다.

❷ 기초운동 발달을 위한 운동프로그램의 구성요소 ··············

유아들의 기초운동을 안정성 운동, 이동운동, 조작운동으로 나누고, 각
각의 운동능력을 발달시키기 위한 운동프로그램에 반드시 포함시켜야할
운동요소들에 대하여 설명하기로 한다.

■ 안정성 발달을 위한 운동프로그램의 구성요소

➜ 축성 안정성 운동
신체나 신체분절의 중심선을 가운데에 두고 양쪽에서 서로 반대방향으

로 움직이거나 관절을 축으로 움직이는 운동을 축성운동이라 한다. 축성 안정성 운동에는 다음과 같은 것들이 포함된다.

- 굽히기(bending)
- 늘리기(stretching)
- 비틀기(twisting)
- 돌기(turning)
- 흔들기(swinging)

➔ 정적 안정성 운동

정지한 상태에서 균형을 잡는 운동으로, 다음과 같은 운동들이 포함된다.

- 직립균형잡기(upright balance)
- 거꾸로 균형잡기(inversed balance) : 물구나무서기

➔ 동적 안정성 운동

몸이 움직이는 상태에서 안정되게 균형을 잡는 것으로, 다음의 운동들이 포함된다.

- 구르기(rolling) : 옆으로, 앞으로, 뒤로 구르기
- 시작하기(starting) : 출발하기
- 멈추기(stopping)
- 피하기(dodging) : 술래 피하기 또는 공 피하기
- 돌기(turning)
- 흔들기(swinging)

■ 이동운동 발달을 위한 운동프로그램의 구성요소

➔ 단일요소 이동운동

신체의 위치를 다른 곳으로 이동시키는 운동 중에서 한 가지 운동요소

만을 포함하고 있는 것을 단일요소 이동운동이라 한다. 단일요소 이동운동에는 다음과 같은 운동들이 포함된다.

- ◘ 걷기(walking)
- ◘ 달리기(running)
- ◘ 리핑(leaping) : 고랑이나 이랑을 뛰어넘기
- ◘ 모둠발뛰기(jumping) : 제자리에서 앞으로 뛰기
- ◘ 외발뛰기(hopping) : 외발로 깡충깡충 뛰기

➜ 복합요소 이동운동

걷거나 뜀뛰기와 같은 단일 요소에 다른 요소가 더 첨가되어 있는 운동으로, 다음과 같은 것들이 포함된다.

- ◘ 기어오르기(climbing) : 나무 또는 바위 기어오르기
- ◘ 갤로핑(galloping) : 말 타는 자세로 뛰기
- ◘ 슬라이딩(sliding) : 미끄러지기
- ◘ 스키핑(skipping) : 두 발을 번갈아서 지그재그로 뛰면서 앞으로 가기

■ 조작운동 발달을 위한 운동프로그램의 구성요소

➜ 추진 조작운동

손이나 발로 물체에 힘을 가해서 물체를 움직이게 하거나 더 빠르게 움직이도록 만드는 운동으로, 다음과 같은 것들이 포함된다.

- ◘ 쓰기(writing)
- ◘ 그리기(drawing)
- ◘ 자르기(cutting)
- ◘ 찌르기(poking) : 손가락으로 찌르기

- 굴리기(rolling) : 통나무나 물건을 굴리기
- 던지기(throwing)
- 치기(punching) : 주먹으로 치기
- 차기(kicking) : 발로 차기
- 튀기기(bouncing) : 공을 손으로 튀기기
- 펀팅(punting) : 막대기로 밀기, 굴렁쇠 굴리기
- 맞추기(striking)
- 되받아치기(volleying) : 발리킥 식으로 차거나 치기

➔ 흡수 조작운동

날아오거나 굴러오는 물체에 힘을 가해서 정지시키거나 속도를 줄이는 운동으로, 다음의 것들이 포함된다.

- 잡기(catching)
- 받기(receiving)
- 볼 멈추기(ball trapping)

❸ 지각운동 발달을 위한 운동프로그램의 구성요소

모든 수의적인 운동은 주위환경이나 신체 내부에 있는 감각기관들로부터 들어오는 각종 감각정보들을 중추신경계통에서 통합하고 해석해서 인지한 다음 그 자극에 대응하는 반응을 하도록 근골격계통에 명령을 내리면 근골격계통이 그 명령을 수행함으로써 이루어진다.

이때 감각기관에는 눈 · 귀 · 코 · 혀와 같이 특별한 기관이 있는 경우도 있고, 촉각 · 압각 · 통각 · 운동감각 · 공간감각 · 시간감각처럼 온몸에 감

각기관이 흩어져 있는 경우도 있다.

그리고 각종 정보를 통합하고 해석해서 인지하는 것을 지각이라고 하는데, 같은 정보가 입력되더라도 사람마다 지각하는 내용도 다르고 반응하는 방법도 다르다. 그러므로 지각운동 능력은 개개인의 감각능력과 인지능력의 영향을 크게 받고, 신체를 조절하고 결합시키는 능력과 직접적인 관계가 있다.

지각운동이 감각의 종류만큼이나 다양하기 때문에 지각운동을 발달시키기 위한 운동프로그램을 구성하는 요소도 다음과 같이 대단히 다양하다.

➜ 신체지각

자기 신체의 위치나 모양, 신체부위 간의 관계 등을 구별하는 능력으로, 다음의 것들이 포함된다.

» 신체부위 알기 : 신체부위가 어디에 있는지 정확하게 알기
» 무엇을 움직일 수 있는가 : 신체부위별로 할 수 있는 운동을 알고, 상황에 적절하게 움직이기
» 신체분절이 어떻게 움직이는가 : 신체분절의 움직임을 정확하게 알기

➜ 공간지각

공간 안에서 자신의 신체위치를 인식하는 능력과 공간의 거리와 높이를 구별하는 능력으로, 다음의 것들이 포함된다.

» 자기 공간과 남의 공간 이해하기
» 공간에서 안전하게 움직이기
» 움직임의 높이 이해하기
» 움직임의 범위 이해하기

➜ 방향지각

방향과 측면을 구별하는 능력으로, 다음의 것들이 포함된다.

» **방향성** : 사물이 놓인 위치 정확하게 알기

» **측면성** : 위치와 방향을 고려하여 여러 가지 차원 익히기

➜ 시간지각

동작의 속도와 리듬을 구별하는 능력으로, 다음의 것들이 포함된다.

» **시간인식** : 아침/점심/저녁, 과거/현재/미래

» **리듬인식** : 리듬에 맞추어서 움직이기, 등시성

» **속도인식** : 빠르게/느리게, 갑자기/천천히

➜ 관계지각

사물이나 다른 사람과의 관계를 구별하는 능력으로, 다음의 것들이 포함된다.

» **관계인식** : 위/아래, 가깝고/멀고, 앞에서/뒤에서, 나란히/둘러싸기

➜ 움직임의 질

움직임에 포함되어 있는 균형, 힘, 시간, 흐름 등을 구별하는 능력으로, 다음의 것들이 포함된다.

» **균형** : 정적 균형과 동적 균형 조절하기

» **시간** : 속도의 증가/감소 알기

» **힘** : 운동에 필요한 힘의 크기를 알고 조절하기

» **흐름** : 움직임을 부드럽게 연결하기

➜ 무게지각

근육의 긴장 정도와 자세 변화를 구별하는 능력으로, 다음의 것들이 포

함된다.

> » 근육의 긴장도 : 근신경 조절, 무거운 동작과 가벼운 동작
> » 자세 변화 : 자세변화와 평형

❹ 체력발달을 위한 운동프로그램의 구성요소 ·····················

체력은 신체적 활동을 수행할 수 있는 능력을 말한다. 스포츠 등 육체적인 능력이 좋은 사람, 질병에 저항력이 좋은 사람, 피로에 잘 견디는 사람 등은 체력이 좋다고 평가된다.

체력은 건강관련 체력과 운동관련(수행관련) 체력으로 구분하고, 체력발달을 위한 운동프로그램에는 다음과 같은 구성요소가 포함되어 있어야 한다.

➜ 건강관련 체력

일상생활에서 적극적으로 활동할 수 있는 신체능력으로, 적절한 운동을 하면 건강관련 체력을 후천적으로 향상시킬 수 있다.

> » 심폐지구력 : 호흡기관이나 순환계통이 오랜 시간 동안 지속되는 운동이나 활동에 버틸 수 있는 능력을 말한다. 운동을 통해서 심폐 능력이 향상되면 운동수행 능력의 향상뿐만 아니라 쉽게 피로해지지 않고, 심혈관질환이나 심장동맥질환의 위험요인도 감소된다.
> » 근력 : 근육이나 근조직이 한 번 수축할 때에 발휘할 수 있는 힘 즉 저항을 이기고 근육이 힘을 낼 수 있는 능력을 말한다. 신체활동 및 신체기능에 근력이 많은 영향을 미치고, 50대 이후부터는 10년마다 약 10%씩 감소되므로 지속적인 운동을 통해서 근력을 유지하는 것이 매

우 중요하다. 그리고 근력은 운동을 하면 증가되지만, 운동을 하지 않으면 감소되는 특성을 지니고 있다.

» 근지구력 : 근육 저항에 대해서 근육이 오래 동안 지속적으로 대항할수 있는 능력 즉 근육이 반복적인 수축을 계속할 있는 능력을 뜻한다. 노화 과정에서 근지구력도 감소되는 변화를 보이므로 반복적인 저항운동을 통해서 근지구력을 유지하는 것이 중요하다.

» 유연성 : 근육과 관절이 움직일 수 있는 범위가 넓은 것을 말하고, 관절의 움직임을 평가하는 중요한 지표가 된다. 유연성은 스트레칭을 통해서 지속적으로 이루어질 수 있고, 목 · 어깨 · 허리 · 엉덩(고)관절의 유연성이 건강관련 체력에 크게 영향을 미친다.

» 체성분 : 신체의 구성비율을 말하며, 크게 체지방량과 제지방량으로 나누어 볼 수 있다. 나이가 들면서 피하지방은 줄고 내장지방은 늘어가는데, 내장지방은 심혈관질환 및 내과적 질환의 발생률을 증가시킬 수 있으므로 적정체중을 유지하는 것이 매우 중요하다.

➜ 운동관련 체력

스포츠 등에서 기술을 발휘하는 데에 필요한 능력을 말한다. 이것은 선천적인 요소를 많이 가지고 있기 때문에 운동을 통해서 운동체력을 향상시키는 데에는 한계가 있다.

» 순발력 : 단시간에 폭발적으로 힘을 내는 능력으로, 근력이 강하고 속도가 빠르면 순발력이 크다.

순발력을 향상시킬 수 있는 트레이닝은 다음과 같다.

- 운동강도 : 근력이 좋고 속도가 부족하면 최대근력의 30%, 속도가 좋고 근력이 부족하면 최대근력의 80%
- 운동시간 : 속도가 부족하면 최대근력의 30% 중량으로 3~6초 실

시하며, 반복횟수는 8~12회

근력이 부족하면 최대근력의 80% 중량으로 5~8초 실시하며, 반
복횟수는 3~5회

- 운동빈도 : 주 3회 또는 격일제로 실시하며, 세트와 세트 사이의 휴
식은 3~4분 정도

» 민첩성 : 움직임의 방향이나 몸의 위치 등을 신속하게 변화시켜서 다
른 움직임으로 옮길 수 있는 능력으로, 속도·균형·협응성과도 관계
가 깊다. 속도에 관한 능력은 선천적인 경향이 있으나 훈련을 통하여
향상시킬 수 있다. 질주 트레이닝, 부하를 경감한 트레이닝, 연속도약
트레이닝 등을 통해서 민첩성을 향상시킬 수 있다.

» 평형성 : 운동 중에 또는 정지하여 있을 때에 신체의 안정을 유지하는
능력을 말한다.

» 협응성(조정력) : 끊임없이 변화하는 운동과제에 대하여 신속·정확하
게 대응하여 운동을 수행하는 능력을 말한다. 조정력을 향상시키려면
운동 시 동작을 정확하게 해야 하고, 몸이 피로하지 않은 상태에서 연
습해야 하며, 정확한 동작을 반복해서 연습하여 신경망을 구축해야
한다.

» 교치성 : 근육과 신경계통의 협응으로 정확한 동작을 수행할 수 있는
능력이다.

⑤ 유아 운동발달의 평가

유아 검진에서 운동발달의 평가는 굉장히 중요하다. 왜냐하면 발달단계
가 평가하기 쉽다는 점과 유아기에서는 운동발달과 정신발달은 거의 비례

하기 때문이다. 운동발달을 평가하면 전체의 발달을 대략 평가할 수 있다.

유아기에는 달리는 힘과 뛰는 힘, 던지는 힘, 매달리는 힘 등 기초적인 운동능력이 갖춰진다. 처음에는 섬세한 운동은 못하고 전신운동이 많으며, 그다음 4~5세 무렵이 되면 손끝이나 손가락끝 운동을 단독으로 할 수 있게 된다.

이러한 유아의 발단단계에 맞춰 운동능력을 발달시키기 위해서는 관심을 느끼는 운동을 자발적으로 반복하여 경험시키는 것이 중요하다. 3~4세 무렵이 되면 운동능력은 놀이를 통해 발달되기 때문이다. 유아의 운동능력은 놀이 생활 속에서 발달한다.

5~6세가 되면 독창적인 발달이 진행되며, 나아가 정서성도 발달하게 되므로 놀이에서 한 발 더 나아가 체육적인 운동을 가미하는 것이 중요하다. 경쟁이나 유희 등을 경험시키고, 운동기능을 발달시킴과 동시에 유아의 체력만들기를 위한 구체적인 작용이나 연구가 필요해진다. 여기서 말하는 운동능력이란 전신의 기능, 특히 신경 · 감각기능과 근육기능을 종합한 능력을 말한다.

운동능력의 3가지 측면은 다음과 같이 분류할 수 있다.

» 운동을 일으키는 힘 → 근력…… 근육기능
» 운동을 계속하는 힘 → 지구력…… 호흡순환기능, 정신적 요소
» 운동을 정리하는 힘 → 조정력…… 신경기능

한편 기초적인 운동능력인 달리는 힘이나 뛰는 힘, 던지는 힘, 매달리는 힘(현수력), 헤엄치는 힘 등으로 분류할 수도 있다.

유아기는 운동능력이 빨리 향상되며, 특히 3~5세에 더 빠르다. 그중에서도 달리는 운동은 전신운동이기 때문에 근력이나 심폐기능(순환기능)의 발달과 관계가 깊다. 그리고 도약운동은 순간적으로 다리의 큰근력에

의해 이루어지는 운동이므로 도약거리는 팔의 진동과 다리 신전의 협응력과도 관계가 깊다. 6세 아이가 3세 아이의 2배 가까운 거리를 뛸 수 있다. 이것은 다리근력의 발달과 협응동작의 발달에 기인한다.

던지는 운동은 팔이나 손목의 힘이 크더라도 손에서 공을 던지는 타이밍을 잘 맞추지 못하면 거리가 늘지 않는다. 특히 오버스로우에 의한 던지기에서는 다리부터 손목까지 힘을 순서대로 전달하고, 그 힘을 공에 가해지게 할 필요가 있다. 오버스로우에 의한 공 던지기에서는 4세 반 이후부터는 남아 쪽의 발달이 여아보다 크다.

매달리기운동은 근육의 지구성은 물론, 운동을 지속하려는 의지력에도 영향을 준다. 유아기에는 운동능력, 특히 대뇌피질의 운동영역 발달에 의한 조정력향상이 빠르다. 성별을 불문하고 4세 무렵이 되면 급속하게 그 능력이 몸에 붙게 된다. 이것은 뇌의 추체세포가 4세 무렵이 되면 급속히 회로화하고, 거기에 근육과 골격도 발달하기 때문이다.

발육·발달은 아이에 따라 속도가 다르며, 개인차가 있음을 이해하고 있어야 한다. 운동기능의 발달은 단순히 '할 수 있다', '할 수 없다'만으로 판단해서는 안 된다. 동작의 학습과정이나 아이가 쌓아온 운동기능을 발휘하기 쉬운 상태가 주어졌는지에 따라서도 달라진다.

아동기가 되면 몸을 콘트롤하는 힘인 조정력이 비약적으로 향상된다. 영유아기부터 현저하게 발달한 신경계통에 근력의 발달이 더해짐으로써 구조가 복잡한 동작이나 운동이 가능해진다. 스포츠를 할 때에도 영유아기에 하던 놀이에서 진화해서 규칙이 복잡한 놀이나 보다 조직적인 운동이나 스포츠, 체육적인 프로그램을 가미한 체육놀이로 변화해간다.

유치원이나 어린이집에서 유아들에게 운동을 시키거나 운동놀이를 할 수 있도록 하는 목적은 유아들이 건강하게 잘 자라도록 돕는 데 있다. 그렇다면 유아들이 잘 자라고 있는지를 알아보려면 운동능력을 테스트한 다음 그 결과를 평가해보아야 한다.

그런데 우리나라의 유치원이나 어린이집에서는 운동능력 테스트를 거의 하지 않고 있어서 비교할 수 있는 데이터가 부족하기 때문에 일본의 자료를 6가지만 제시한다.

20미터 달리기, 제자리멀리뛰기, 공던지기의 측정방법은 "운동능력의 변화(pp.98~105)"를 참조하기 바란다.

■ 고무줄 뛰어넘기의 측정방법

» 바를 걸어놓고 뛰어넘기를 하면 다칠 염려가 있기 때문에 약 2미터 간격으로 봉을 2개 세워놓는다.
» 봉에 눈금을 그려서 고무줄의 높이를 조절할 수 있도록 한다.
» 봉과 봉 사이에 걸쳐놓은 고무줄을 넘어가라고 한다.
» 두 발로 점프해서 넘어가는 것이 아니라 그냥 넘어가기만 하면 된다. 즉 한쪽 발바닥을 고무줄 높이까지 올려도 넘어지지 않고 앞으로 넘어갈 수 있는지 알아보는 것이다.

■ 오래매달리기의 측정방법

» 유아가 서서 손으로 잡을 수 있는 높이의 철봉이나 늑목에서 측정한다.
» 철봉을 마음대로 잡는다.
» 구령 또는 호루라기를 불면 철봉에 매달려서 발을 땅에서 뗀다.
» 발을 다시 땅에 디딜 때까지 시간을 측정한다.

■ 봉오르기의 측정방법

» 철봉이나 그네의 봉을 이용해서 측정한다.
» 어른이 보조해서 유아가 봉에 몸을 밀착시켜서 붙어 있도록 한다.
» 어른이 손을 떼면 위로 기어 올라가라고 미리 말해둔다.
» 유아가 봉에 붙어 있을 수 있다고 판단될 때 어른이 손을 뗀다.
» 어른이 손을 놓을 때 아이가 잡고 있던 손의 위치에서 가장 높이 올라간 손의 위치까지의 높이를 측정한다.

■ 이용방법 및 유의사항

유아들의 운동능력이 발달한 정도를 대강 알아보려는 것이지 수, 우, 미, 양, 가를 매기려는 것이 아니다. 그래서 평균치와 최고치만 있는 것이다. 유아들의 운동능력 발달은 개인차가 크기 때문에 표준편차가 별 의미가 없으므로 제시하지 않는다.

잘함, 보통, 약간 미흡으로 평가하는 것이 좋다. 여기에서 '잘함'은 보통 아이들보다 이 능력의 발달이 빠른 편이라는 뜻으로 해석해야 하고, '약간 미흡'은 그 반대의 뜻으로 해석하면 된다.

평가방법을 3.5세의 남자아이가 20미터 달리기를 한 것을 예로 설명한다.
» 평균이 약 8초이고, 최고치가 5.5초로 나와 있다.
» 8초와 5.5초의 차이가 2.5초이므로, 차이의 반은 1.25초가 된다.
» 평균 8초에 1.25초를 더하면 9.25초가 되고, 빼면 6.75초가 된다.
» 그러므로 6.75초 ~ 9.25초이면 '보통'으로 평가한다.
» 6.75초보다 빠르면 '잘함', 9.25초보다 느리면 '약간 미흡'으로 평가한다.

» 별표(*)가 있는 것은 안전상 그 이상은 측정하지 않았다는 의미이다.

▶ 표 4-2   남자아이의 기초 운동능력

종목		3세	3.5세	4세	4.5세	5세	5.5세	6세
20미터달리기(초)	평균		7.97	7.48	6.85	6.30	5.40	4.98
	최고		5.5	4.9	4.7	4.2	4.0	4.0
제자리멀리뛰기(cm)	평균	61.41	66.20	76.68	81.23	89.18	98.30	108.34
	최고	81	101	116	126	151	146	156
고무줄뛰어넘기(cm)	평균	28.75	29.27	35.29	37.44	42.92	44.32	45.79
	최고	40	40	50*	50*	50*	50*	50*
테니스공던지기(m)	평균		4.02	5.46	5.95	7.35	7.98	9.44
	최고		6	10	13	14	16	17
오래매달리기(초)	평균		24.50	47.71	55.13	68.97	73.63	82.13
	최고		100	120*	120*	120*	120*	120*
봉오르기(cm)	평균			42.56	48.09	70.24	97.32	
	최고			150*	150*	150*	150*	

▶ 표 4-3   여자아이의 기초 운동능력

종목		3세	3.5세	4세	4.5세	5세	5.5세	6세
20미터달리기(초)	평균		7.11	7.16	7.09	5.98	5.87	5.78
	최고		5.5	5.0	4.4	4.1	4.2	4.6
제자리멀리뛰기(cm)	평균	56.53	59.46	68.03	73.03	80.46	87.74	95.07
	최고	76	91	111	116	121	146	146
고무줄뛰어넘기(cm)	평균	31.00	30.50	33.64	37.40	40.36	45.32	44.24
	최고	40	40	50	50	50	50	50
테니스공던지기(m)	평균		3.18	3.70	4.13	4.55	6.50	5.69
	최고		7	7	7	10	18	29
오래매달리기(초)	평균		37.83	45.01	58.55	69.14	87.01	88.30
	최고		110	120*	120*	120*	120*	120*
봉오르기(cm)	평균			31.75	39.88	58.54	68.36	85.50
	최고			91	121	150	150	150

제5장

유아체육 프로그램의 교수-학습법

01 유아체육 지도방법

❶ 유아체육 지도방법

■ 유아체육 지도의 개념

대부분의 사람들이 '지도(指導)'를 '가르치는 것'이라고 생각한다. 분명히 '가르치는 것'이 지도의 한 방법이기는 하다.

'가르치는 것'에는 다음과 같은 장·단점이 있다.

» 장점 : 능률적이고, 효과가 빠르게 나타난다.

» 단점 : 스스로 생각하고, 노력하고, 문제를 해결하려는 적극성이 없어진다.

유아들의 능력을 신장시킨다는 것은 유아들을 어떤 틀에 맞도록 끼워넣는 것이 아니라, 유아들이 잠재적으로 가지고 있는 싹(芽)을 찾아내서 길러 꽃피우는 과정이다. 그러므로 유아들을 가르치는 것은 임시방편적인 접근방법이어서 유아들의 장래를 생각하면 절대로 해서는 안 되는 일이다.

이렇게 생각하면 지도자가 해야할 일 중에서 가장 중요한 일은 "유아들의 자발성을 촉진하고, 개성이 풍부하고 창조적으로 접근할 수 있는 여건을 마련해주는 것이다." 그렇게 하여야 유아들이 자신의 힘으로, 유아들 나름대로의 길을 열어갈 수 있는 기회를 많이 만들어 줄 수 있다.

이것은 지도자들은 아무 일도 하지 않아도 좋다는 뜻이 아니다. 그럴듯 해 보이는 무엇을 하려고 하는 대신에 유아들을 배려하고, 유아들의 능력을 끄집어낼 수 있는 방법을 요리저리 생각하여 보고, 필요하면 적절한 암시를 주거나 조언을 하면서 유아들의 활동을 촉발시키라는 뜻이다.

그런데 문제점은 "오늘날같이 노는 것을 잃어버린 유아들에게 그런 식으로 대해도 괜찮을까?"라는 의문을 가진 사람들이 대단히 많다는 것이다.

이러한 의문에 대하여 '운동놀이를 시작하게 하여 초보적인 것도 지도자가 가르쳐주지 않으면 어떻게 하라는 말인가?', 또는 '생명이 걸린 중대한 일을 사전에 가르쳐주지 않으면 어떻게 될까?' 등의 문제점이 있다는 것은 인정해야 한다. 이것은 문제에 따라서 가장 적합한 지도방법이 다를 수는 있지만, 기본적으로는 '유아들이 스스로를 교육시키게 놓아두어야 한다.'는 것이 올바른 방법이라는 뜻이다.

위와 같은 지도 개념이 확실하게 세워졌을 때 유아체육을 지도하는 지도자가 해야 할 역할은 다음과 같다.

» 지도자는 유아들에게 무엇을 어떻게 지도할 것인지 지도계획을 수립하는 입안자가 되어야 한다.
» 지도계획을 실행하는 과정에서는 유아들의 자발성과 창조성을 중요하게 생각하고, 자발성과 창조성을 촉발시키려고 노력해야 한다.
» 지도자는 지도계획을 입안한 사람이지만, 실행 단계에서는 유아들의 친구이고 형제자매이며 때로는 조직 전체를 조정하는 역할을 해야 한다.

■ 유아체육의 지도내용

"유아체육에서 무엇을 지도할 것인가?"라는 질문에 대한 대답은 다음과 같다.

» 첫째는 활발한 신체 움직임을 수반하는 놀이를 여러 방면에서 경험할 수 있도록 하는 것이다. 고정되어 있는 놀이기구를 사용해서 놀 수도 있고, 간단한 놀이기구를 이용해서 놀 수도 있으며, 게임을 하는

것과 같이 집단적으로 놀 수도 있다. 이와 같이 유아들이 놀 수 있는 놀이는 대단히 다양하지만, 나이에 알맞게 놀이의 종류와 방법을 바꾸어가면서 경험을 늘려주는 것이 중요하다.

» 둘째는 그러한 놀이를 하는 중에 신체적으로 건전하게 발달할 수 있도록 촉진하는 것이다. 교묘한 재주가 필요할 때에는 그에 대응해서 움직일 수 있고, 근력이 필요할 때에는 강력한 힘을 발휘할 수 있고, 지구력이 필요할 때에는 끝까지 버텨내야 하는 것처럼 자신의 신체를 자신의 의지대로 통제할 수 있는 능력을 증대시키도록 지도해야 한다. 그중에서도 운동의 신경지배와 관련이 있는 조정력 배양에 중점을 두어야 한다.

» 셋째는 놀이를 하는 중에 정신적으로 건전하게 발달할 수 있도록 촉진하는 것이다. 놀고 싶은 욕구를 충족시켜줌으로써 정서적으로 안정을 도모할 수 있고, 지적인 면에서는 창조성의 싹을 기르고, 의지적인 면에서는 자발성과 자주성을 늘려 줄 수 있다.

» 넷째는 놀이를 하는 과정 중에 친구를 사귀도록 촉진하는 것이다. '친구와 함께 재미있고 즐겁게 놀기 위해서는 무엇이 필요한가?', '잘 놀지 못할 때에는 어떻게 해야 하는가?'와 같은 친구와의 관계를 통해서 협력 · 경쟁 · 예절 · 규칙 등과 같이 사회적응에 필요한 것들을 이해하고, 평화적 또는 민주적인 태도를 육성할 수 있어야 한다.

■ 유아체육의 지도방법

➜ 교과과정

유아체육에서도 교과과정을 편성해야 한다. 그러나 지도대상인 유아들의 생활이 유동적이어서 예상 밖의 일이 생길 수도 있기 때문에 세밀한 교과과정을 편성하면 오히려 변동시키기 어려워져서 무용지물이 되어버릴 수도 있다.

그러므로 유아들의 실태를 파악한 다음 그것을 기본으로 유아체육의 목표를 확실하게 설정하고, 그 목표를 달성하기 위한 대략적인 방안을 설정하는 것이 보통이다. 그렇게 하면 이런저런 사정의 변화에 대처할 수 있는 탄력성이 생긴다.

교과과정의 편성과 교재의 선택 사이에는 긴밀한 관계가 있다. 몇 살짜리 유아들에게 어떤 운동을 지도할 것인지 심사숙고한 다음에 적절한 교재를 선택해야 한다. 유치원이나 어린이집에서는 집단으로 지도하는 것이 원칙이므로 운동능력이 우수한 유아와 운동능력이 좋지 못한 유아를 동시에 지도해야 한다.

이 경우에 가장 열등한 유아의 수준에 맞는 교재를 선정하면 대부분의 유아들에게는 너무 쉽기 때문에 오히려 흥미를 잃게 된다. 그렇다고 해서 집단에서 운동능력이 우수한 유아들의 수준에 맞는 교재를 선택하면 뒤쳐진 유아들에게는 너무 어렵기 때문에 모든 유아들이 함께 놀 수 없게 된다.

'교재선택의 기준을 어디에 둘 것인가?'하는 문제에 대하여 70% 수준으로 정할 것을 권장하고 싶다. 70% 수준을 권장하는 근거는 다음과 같다. 즉 통계적으로 볼 때 유아들의 운동능력이 정규분포를 한다고 가정하면, 5단계 평가에서 수·우·미에 해당되는 유아가 약 68%이고, 양과 가에 해당되는 유아가 약 32%이다. 실제로는 정확하게 68%가 아닐 것이므로 대강 70%로 잡은 것이다.

그렇게 운동을 시키면 유아의 70%는 이미 할 수 있었기 때문에 지도를 받아서 한층 더 정확하게 할 수 있게 될 것이고, 할 수 없었던 나머지 30%의 유아들도 지도를 받았기 때문에 할 수 있게 되지 않을까 라는 생각이 들기 때문이다.

➜ 동기부여

유아들의 운동욕구의 방향을 정해서 자발적으로 무엇인가를 하고 싶다는 마음을 갖게 만드는 것을 '동기부여'라고 한다.

지도자는 이런 놀이를 하는 것이 좋겠다고 생각했는데도 유아들이 그 놀이를 별로 좋아하지 않는 경우도 있고, 자발적으로 하지 않으려고 하는 경우도 있다. 이런 때에는 지도자가 앞장서서 무리하게 강요하더라도 성과가 올라가지 않는다.

그러나 적절하게 동기를 부여하면 유아들 자신이 저항감 없이 지도자가 원하는 방향으로 나가게 할 수도 있다. 그러므로 동기부여만 잘하면 지도자가 할 일의 반은 이미 달성한 셈이 된다고 해도 과언이 아니다.

모래놀이에 푹 빠진 유아들에게 달리기 경주를 하자고 해봐야 듣지 않는다. 그러나 지면에 석회로 하얀 선을 선명하게 그려놓고, 결승선 앞에 붉은 깃발을 꽂아놓은 다음 호루라기를 불면 대부분의 유아들은 달리기 경주를 하고 싶은 마음이 생겨서(동기부여가 되어서) 하나둘씩 모여들게 된다.

➜ 개인차

유아들은 개인차가 심하다. 같은 나이라도 약 1년 차이가 나는 유아들이 섞여 있는 경우도 허다하고, 각 유아들의 가정환경도 서로 다르다.

그럼에도 불구하고 전체적으로 지도할 때에는 자칫 잘못하면 누가 누구보다 잘한다는 등 개인을 비교할 수도 있고, 또는 학급 전체를 어떤 수준까지 끌고 가고 싶어서 무리할 수도 있지만, 이런 것들은 유아들의 개인차를 무시한 처사라는 것을 알아야 한다. 가장 중요한 것은 유아 각각의 능력을 나름대로 신장시키는 '개인 안에서의 변화'에 주목하는 것이다.

유아들의 운동능력도 개인차가 심하다. 생물학적인 나이가 달수(月數)까지 같더라도 철봉의 기둥끝까지 기어 올라가는 유아도 있고, 처음부터 철봉의 기둥에 달라붙어 있지도 못하는 유아도 있다. 모든 종류의 체력이 조화롭게 발달된 유아도 있고, 한두 가지 체력은 좋고 다른 체력은 나쁜 유아도 있다.

이와 같이 유아 한 사람 한 사람의 운동능력이 다르고, 같은 유아라도 잘하는 면도 있고 잘못하는 면도 있다는 것을 고려하지 않고 획일적으로 지도하면 지도의 의미도 효과도 없다.

유아의 세계는 "사람을 보아서 법을 세워라!"는 격언이 딱 들어맞는 세계이다. 즉 유아 한 사람 한 사람을 보고 그의 장점과 단점에 맞추어서 개별적으로 지도하려고 노력하는 것이 아주 중요하다. 그것이 바로 유아를 존중하는 것이기 때문이다.

➔ 집단 안에서의 지도

집에서 지나치게 보호를 받고 여러 친구와 자유롭게 놀지도 않는 유아는 어딘지 모르게 허약해 보인다. 반면에 부모로부터 별로 보살핌을 받지 못했지만, 집단 안에서 부대끼며 자란 유아는 여러 가지 면에서 늠름하게 성장하여 나간다.

"세 사람이 모이면 보살의 지혜가 나온다."는 격언이 있다. 이 말은 유아가 혼자의 머리로 생각하는 것보다는 여럿이 모여서 이것저것 해보는 편이 훨씬 더 좋다는 뜻이다. 다시 말해서 유아의 발달을 촉진시키려면 '모자라는 것'과 '못하는 것'을 자꾸 해보도록 자극해야 한다는 것이다.

고락을 함께한다는 말과 같이 즐거운 일, 고통스러운 일, 기쁜 일, 슬픈 일 등은 할 수 있는 한 여러 친구와 함께 나누는 것이 깊은 맛이 있다. 그렇게 함으로써 몸으로 느끼는 세세한 감정도 기를 수 있다. 또한 자주 · 독립 · 의욕 · 강한 정신 등으로 표현되는 의지력은 집단 안에서 여러 친구들에게 자극을 받음으로써 강해지는 것이다.

특히 한 사람 한 사람은 모두 평등한 관계에 있다는 것, 여러 사람이 힘을 모아서 일을 하면 아주 잘 할 수 있다는 것, 여러 사람이 한 일은 한 사람 한 사람이 중요한 역할을 한 결과라는 것, 문제를 일으키지 않으려면 규칙을 정하고 그것을 지킴으로써 이루어진다는 것 등과 같이 사회적응에 필요한 것들은 집단 안에서 몸을 부대끼며 살아가는 과정에서 얻어지는 것이다.

운동능력도 집단 안에서 더 잘 발달된다. 왜냐하면 집단놀이는 혼자 하는 놀이에 비해서 질적으로나 양적으로나 효과가 대단히 크기 때문이다. 이와 같이 집단으로 무엇을 한다는 것은 유아의 발달에 더할 나위없이 큰 의의가 있으므로 유아들을 지도할 때 잘 활용해야 한다.

➔ 단계적 지도

유아체육은 유아들의 발달단계와 놀이의 계통단계를 연계시켜서 지도해야 한다. 4세 이하의 유아와 5세 이상의 유아 사이에는 신체 기능상 큰 차이가 있다. 이와 마찬가지로 유아들의 운동기능이 발달하는 방법에도 많은 차이가 있기 때문에 유아들의 발달단계를 고려해서 지도해야 한다. 또한 5세 이후가 되면 운동능력뿐만 아니라 놀이도 남녀 간에 차이가 있다는 것을 고려해서 지도해야 한다.

같은 놀이라도 간단한 것에서 복잡한 것으로, 쉬운 것에서 어려운 것으로 단계적으로 지도해야 한다. 공차기놀이에서는 천천히 굴러오는 공을 차는 연습을 먼저 한 후에 빨리 굴러오는 공을 차야 하고, 비닐 공을 찬 다음에는 좀 더 무거운 고무나 가죽 공을 차야 한다.

유아의 운동에서는 "이것을 못하면 다음 것을 할 수 없다."는 공식이 성립되지 않는다. 어떤 운동을 전혀 하지 못하는데도 다음 운동을 할 수 있는 유아도 많다. 그런 식으로 이 운동 저 운동 하다 보면 원래 못했던 운동도 아주 잘할 수 있게 발달되어 있을 수도 있다. 이와 같이 유아들의 운동 능력은 나선형으로 발달되기 때문에 어떤 운동을 완전히 마스터한다는 식의 완벽주의는 피해야 한다.

➔ 운동내용

유아들의 놀이에는 다양한 내용이 들어 있다. 하나의 운동에 그 운동 고유의 내용이 들어 있는 경우도 있고, 또 하나의 운동에 여러 가지 내용이 들어 있는 경우도 있다. 그러므로 여러 가지 운동 중에 어떤 운동과 어떤 운동을 조합해서 할 것인가도 생각해봐야 하고, 운동내용을 어떻게 편성할 것인지도 고려해야 한다.

예를 들어 한 시간 동안의 체육적 놀이 시간에 다리 운동만 한다든지, 팔 운동만 한다든지, 근력과 관련이 있는 운동 또는 평형성과 관련이 있는 운동만 한다든지 하면 한쪽으로 치우쳐진 편성이 된다.

한 시간 동안 운동을 하더라도 팔·몸통·다리 세 부위의 운동을 하게 한다든지, 교치성운동·근력운동·복합게임 등 세 종류의 운동을 섞어서 한다든지 해야 한다. 전신이 조화롭게 발달할 수 있도록 하려면 위와 같은 운동을 다채롭게 조합해야 한다.

한 시간 동안의 운동시간을 운동량이 많고 활동적인 놀이와 운동량이 적고 비교적 쉬운 놀이를 섞어서 하는 방법도 생각해 볼 수 있다. 예를 들어 달리기와 늑목, 또는 공차기와 철봉을 섞어서 하는 것이다.

➔ 놀이의 생활화

지도한 놀이가 그때 한번 하고 끝나버리면 실패한 것이다. 지도한 놀이에 유아들이 흥미가 있어서 지도자가 있든 없든 상관없이 즐겁게 또 하고 싶어 해야 놀이지도에 성공한 것이다. 이것을 '놀이의 생활화'라고 한다.

운동회를 하기 전에 열심히 연습해서 부모들에게 보여준 다음 운동회가 끝나고 나서는 돌아보기도 싫다든지, 다시는 할 기회가 없다든지 하는 것은 반성해야 할 일이다. 술래잡기를 가르쳐주면 즐겁게 또 하고 싶어서 집에 돌아가서 동네 아이들을 모아서 또 한다든지, 터치볼을 가르쳐주면 다음날 또 하고 싶어 한다든지 하는 놀이가 되어야 유아들의 몸에 붙은 살아 있는 놀이가 된다.

➜ 놀이의 고도화

정지하고 있는 볼 차기는 굴러오는 볼 차기로 발전하고, 볼 던지기는 볼 받기로 발전하고, 평균대 위에서 걷기는 평균대 위에서 방향을 전환해서 돌아오기로 발전하고, 철봉에 발 걸고 돌기는 철봉에 차오르기로 발전해야 한다.

앞의 '단계적 지도'에서 설명한 '쉬운 과제에서 어려운 과제로'라는 원리는 전적으로 유아들 자신의 힘으로 발달과정을 거치지 아니하면 충분히 발달되었다고 할 수 없다. 그 이상의 발전을 기대할 수 없는 막다른 골목식의 놀이 지도는 의미가 없는 일이다.

➜ 실시시간

유아는 하루 종일 놀이만 하는 것같지만, 실제로는 하나하나의 지속시간은 짧고, 활동과 휴식의 경계도 모호하다. 특히 어른들처럼 활동은 활동, 휴식은 휴식으로 구분해서 일할 때는 열심히 일만 하고 쉴 때는 철저히 쉬는 것이 아니라, 활동했다가 짧은 시간 간격으로 쉬기를 반복하는 것이 유아들이다.

이 때문에 유치원에서 체육적 놀이를 지도할 때에도 하나의 놀이를 오랜 시간 동안 지속할 수가 없다. 그래서 한 가지 놀이에 약 20분씩 3개의 놀이를 조합해서 약 1시간 동안 체육적 놀이를 지도하는 것이 바람직하다. 더군다나 그 시간에는 놀이를 시작하기 위해서 집합하는 시간, 놀이 기구를 운반하거나 내놓는 시간, 놀이가 끝나고 난 후의 뒤처리 시간 등이 포함되어 있기 때문에 실제로 놀이를 하는 시간은 그보다 더 짧다.

신체운동은 매일 하는 것이 좋다. 비가 계속 와서 운동을 할 수 없어서 일주일 내내 운동을 안 한다든지, 지금부터 휴가이니까 할 것을 한데 모아서 미리 해버린다든지 하는 것은 효과가 없을 뿐만 아니라 오히려 폐해가 될 수도 있으므로 주의해야 한다.

➔ 시범

유아체육 시간에는 이것저것을 말로 설명하고 지시하는 것보다는 지도자가 직접 몸으로 표현하여야 유아들이 쉽게 이해하게 된다. '이러고저러고 해서'라고 말하는 것보다는 '이런 식으로'라고 말하면서 몸을 움직여 보이면 '백문이 불여일견'이라는 말처럼 "응~ 그렇구나!"하는 식으로 쉽게 이해하기 때문이다.

그러나 어디서 어디까지 보여줄 것인가는 '제2의 신호체계로써의 언어의 발달'을 저해할 수도 있다는 측면에서 주의해야 한다. 지도자가 보여주는 시범은 '이상적인 동작'이라는 이미지를 심어준다는 의미에서는 대단히 중요하지만, 시범을 지나치게 많이 보여주면 '틀에 짜 맞추는 교육'이 안 된다는 보장이 없고, 유아들의 창조성을 길러줄 수 있는 여지가 점점 좁아진다는 단점이 있다. 따라서 유아들의 이해를 돕는 수준에서 시범을 보여야 한다.

❷ 유아체육의 목표와 지도자의 역할 ·····················

■ 유아체육의 목표

활발한 신체의 움직임을 동반하는 놀이를 통하여 아이들의 무한한 잠재력을 키워 개인적으로 행복하게 하고, 나아가 그들의 능력이 국가발전의 자원이 되도록 건강한 신체와 건전한 정신을 길러주는 것을 유아체육의 목적이라고 할 수 있다.

이러한 유아체육의 목적을 달성하기 위해서는 유아체육을 지도하는 지도자들은 다음과 같은 구체적인 지도목표를 설정하여야 한다.

» 활발한 신체활동을 통하여 큰근육과 작은근육의 발달을 촉진시키고, 신체운동 간의 협응력과 조정력을 기른다. 즉 유아가 스스로 자신의 신체부위들을 제어하고 사용할 수 있는 능력을 길러주어야 한다.

» 유아의 신체발달과 건강을 돕기 위해서 유아가 자신의 신체구조를 알게 하고, 영양섭취 · 개인위생 · 안전 등에 관련된 바람직한 습관을 길러준다.

» 신체활동을 통하여 사물과 현상에 대하여 호기심을 갖고 탐구하게 함으로써 합리적인 문제해결 능력과 태도를 길러준다.

» 유아는 이유없이 움직이는 것이 아니라 움직임과 감각을 통해서 운동을 조직하고 자신에게 필요한 능력을 길러나간다. 그러므로 자신의 신체부위 사이의 협응력이 필요한 활동을 강조해줌으로써 여러 가지 사태에 적응할 수 있는 힘을 길러주어야 한다.

» 바른 자세로 앉고, 서고, 달리는 등 주어진 공간 안에서 균형 있게 움직이게 하고 민첩성을 길러준다.

» 유아들은 신체 움직임으로 리듬을 익히고, 자신의 감정을 표현한다. 표현운동을 하는 동안 창조력과 상상력을 발휘할 수 있도록 도와주어야 한다.

» 체육놀이를 통하여 기본적인 생활습관을 기르고, 집단생활에 적응함으로써 생각과 행동을 조절하고 남과 더불어 살 수 있는 능력을 길러준다.

» 신체 표현 놀이를 통하여 언어에 흥미를 갖게 하고, 언어 사용능력을 길러준다.

■ 유아체육 지도자의 역할

유아체육의 목적을 달성하기 위해서는 지도자들의 역할이 대단히 중요하다. 그들이 유아들을 자발적이고 창조적인 민주시민으로 자랄 수 있는 초석을 다져줄 수도 있고, 반대로 자라게 할 수도 있기 때문이다.

다음은 유아체육 지도자들이 반드시 지켜야 할 임무 또는 역할을 정리한 것이다.

» 유아들의 발달 수준과 욕구를 정확하게 파악하고 신체활동에 대한 폭넓은 지식을 수집하여 교육계획을 수립하여야 한다.

» 유아의 신체 전반에 대한 이해가 선행되어야 유아에게 알맞은 운동을 선정할 수 있고, 사고발생 시 응급처치를 할 수 있다.

» 지도자는 활동내용을 일방적으로 전달하지 말고 유아들과 같은 참여자라는 인식과 태도를 가져야 한다.

» 유아 개인의 건강에 대한 정보를 미리 수집해두어야 하고, 활동을 진행할 때와 끝낼 때 유아의 건강상태를 파악하고 적절한 처치를 해야 한다.

» 유아가 지도자를 믿고 심리적으로 의지할 수 있도록 밝은 표정과 다정한 태도로 대해주고, 유아의 능력에 대한 신뢰를 보여준다.

» 활동 중에 재미있는 몸동작이나 유머있는 언어를 사용함으로써 유아 가 신체활동 시간은 즐거운 시간이라는 느낌을 갖도록 한다.

» 유아에게 새로운 활동이나 방법을 제시할 때에는 언어로 지시하기보 다는 몸으로 시범을 보여주는 것이 좋다.

» 유아기에는 신체발달의 개인차가 크기 때문에 같은 운동이라도 능숙 하게 해내는 아이도 있고, 시도조차도 하지 못하는 아이도 있다. 이때 지도자는 조바심을 내거나 재촉하지 말고 충분히 기다려주고, 다른 방법으로 할 수 있는 기회를 주어야 한다.

» 신체활동은 개인적인 운동능력의 발달뿐만 아니라 다른 사람과 협동 하여 활동하면서 사회성을 기를 수 있도록 진행되어야 한다.

» 지도자는 유아들이 활동을 시작하기 전에 활동내용의 적절성뿐만 아 니라 활동하는 공간의 안전성에 대해서도 면밀하게 점검해야 한다.

» 난이도가 있는 활동을 할 때에는 지도자가 보조자가 되어서 유아의 부족한 부분을 도와주어야 한다.

» 교육과정을 다른 활동과 통합적으로 운영해야 한다.

» 신체활동을 시작하기 전에 유아의 체력과 운동능력을 평가하고 그에 적절한 활동내용을 선정해야 한다. 그리고 일정한 주기를 정하여 계 속적으로 평가를 해서 그 결과를 다음 계획에 반영해야 한다.

» 끝마무리는 정리체조와 함께 정리정돈하는 것을 습관화시켜야 한다.

❸ 유아체육 지도자의 자질

유아체육 지도자는 유아들의 싹을 길러 그들이 가지고 있는 가능성을 꽃피우게 하는 아주 중차대한 임무를 수행해야 한다. 이 때문에 유아체육

지도자가 갖추어야 할 자질도 개인적인 성격과 같은 특성뿐만 아니라 전
문적인 지식과 기술도 있어야 하고, 사회적으로 바람직한 생활태도와 가
치관도 가지고 있어야 한다.

■ 개인적인 자질

» 유아체육 지도자는 신체적 · 정신적으로 건강해야 한다. 하루 종일 유
아들을 관찰하고 유아들이 원하는 것을 충족시켜주기 위해서는 신체
적 · 정신적으로 건강해야 하고, 유아들의 건강을 위해서도 전염성 질
환이나 유전성 특성 등으로부터 자유로운 사람이어야 한다.

» 유아체육 지도자는 성실한 사람이어야 한다. 유아들을 지도할 때 특
별히 커리큘럼이 정해져 있는 것도 아니고 경우에 따라서 변동이 심
하다. 이 때문에 유아들을 끊임없이 보살피고, 지도방법을 계속해서
업데이트할 수 있는 성실한 사람이어야 한다.

» 유아체육 지도자는 따뜻한 성품의 소유자여야 한다. 유아마다 성격이
다르고 원하는 것도 다르다. 게다가 자기 의사를 확실하게 표현할 수
있는 능력도 없기 때문에 답답하고 짜증날 가능성이 많으므로 유아
들을 따뜻하게 보듬어줄 수 있는 성품을 가진 사람이어야 한다.

■ 전문적인 자질

» 유아체육 지도자는 유아들의 발달단계와 특성에 대한 전문적인 지식
을 갖추어야 한다. 유아들은 발달단계에 따라 할 수 있는 움직임이 다
르고, 신체능력을 잘 발달시킬 수 있는 최적기도 다르다. 그러므로 유
아들의 신체활동 놀이를 지도할 때 이러한 사항들을 잘 고려하려면

유아들의 발달에 관한 전문적인 지식이 있어야 한다.

» 유아체육 지도자는 건강과 체육에 대한 전문지식이 있어야 한다. 신체활동 놀이를 통해서 유아들을 지도하려면 체육에 관련된 전문지식은 물론이고, 영양섭취와 보건위생 및 응급처치 등에 관한 전문지식이 있어야 잘 대처할 수 있다.

» 유아체육 지도자는 교육에 대한 전문지식을 갖추어야 한다. 유아체육 지도는 교육 중에서도 아주 중요한 교육이다. 유아들에게 필요한 것이 무엇인지 알고, 그것을 어떻게 하면 유아들이 스스로 이해할 수 있게 만들 수 있는가 등 동기부여와 유아들의 심리적인 면에 관해서도 전문적인 지식이 필요하다.

■ 사회문화적인 자질

» 유아체육 지도자는 생명을 존중하는 자연친화적인 태도를 가진 사람이어야 한다. 유아들에게는 매일매일 보는 것, 듣는 것, 경험하는 것 등이 모두 다 새로운 것이고, 그것들이 유아들의 머릿속에 뿌리깊이 박힌다. 그러므로 유아체육 지도자가 생명을 존중하고, 자연환경을 파괴하지 않으려고 노력하는 것이 유아들의 머릿속에 깊이 각인된다.

» 유아체육 지도자는 사회 구성원 대부분이 공통적으로 가지고 있는 건전한 가치관과 윤리의식을 가지고 있는 사람이어야 한다. 유아들을 지도한다는 것은 한 사람 한 사람의 유아에게 일생을 통해서 가장 많은 것을 배우고, 가장 중요한 것들을 경험하는 시기를 책임지는 것이라고 할 수 있다. 그런 시기에 사회 구성원 대부분이 공통적으로 가지고 있는 것과 다른 자기만의 가치관이나 윤리의식을 유아들에게 보여준다면 바람직한 일이 못된다.

02 유아 운동프로그램의 지도

❶ 운동프로그램 지도 시 유의사항

유아들의 신체활동은 어떤 기술을 배우는 것이 목적이 아니라 움직임을 통하여 스스로 문제를 해결하고, 상상력과 창의력을 증진시키며, 신체 조정력을 향상시키는 데 있다. 그러므로 움직임이 제한적이어서는 안 되고 자유로운 상태에서 행해져야 한다. 지도자가 어떤 시범을 보이고 아이가 따라하는 것이 아니고, 유아 스스로 해결할 수 있도록 지도자는 옆에서 보조 역할만 하면 된다.

유아는 아직 근육의 분화가 덜 된 상태이기 때문에 필요치 않은 근육을 많이 사용하면 쉽게 피로를 느낀다. 그러므로 계속적으로 힘든 운동을 하는 것은 피하고, 운동 사이사이에 짧은 휴식을 취하게 한다.

유아들은 모든 신체기관들이 허약하고, 대부분의 운동이 생전 처음 해보는 운동이다. 거기에다 운동을 하는 방법도 전혀 모르기 때문에 자기 나름대로 이렇게도 해보고 저렇게도 해 볼 수 있도록 충분한 시간을 주어야 한다.

운동종목이나 운동방법을 고려해서 운동장소를 정하고 안전에 유의해야 한다. 모든 유아들이 운동하는 모습을 한눈에 파악할 수 있도록 해야 사고가 나더라도 빨리 대응할 수 있다. 한두 명의 유아가 보이지 않으면 모두가 보이도록 유아들의 대형을 바꾸든지 놀이시설이나 기구를 재배치해야 한다.

유아들이 일 대 일로 게임을 하거나 편을 나누어서 경기를 할 때 지나친 경쟁의식을 갖지 않도록 지도해야 한다. 게임에서 이기는 것만이 좋은 것이 아니라 친구와 사이좋게 놀고, 협력해서 어려운 일을 해내는 것이 더 중요하다는 것을 가르쳐준다.

또한 계절에 맞는 운동을 선택해서 하도록 한다. 봄에는 농장 체험을 가고, 여름에는 물놀이, 가을에는 단풍잎 줍기, 겨울에는 썰매타기 등 계절에 맞는 운동을 해야 유아들도 좋아한다. 그리고 무더운 한여름이나 추운 겨울에는 야외에서 운동하는 것을 자제한다.

유아들은 남이 하는 것을 구경만하거나 기다리는 것을 싫어한다. 그러므로 모든 유아들이 직접 운동에 참여할 수 있는 기회를 최대한으로 마련해야 하고, 같은 운동을 반복해서 하면 지루해 하므로 동작에 조금이라도 변화를 주어야 한다.

유아들의 운동능력 발달속도에는 개인차가 있으므로 한 사람 한 사람의 유아를 개별적으로 지도한다고 생각해야 한다. 집단놀이를 하기 위해서 집단을 구성할 때에도 잘하는 유아와 못하는 유아를 섞어놓는 것보다는 비슷한 유아들끼리 같은 집단을 만들어주는 것이 좋다.

유아들에게 새로운 것을 가르치되, 지나치게 어려운 것을 가르치려고 애쓰면 안 된다. 유아들은 자신이 할 수 있는 운동이어야 하지, 전혀 할 수 없는 것을 시키면 안 해버리고 운동을 싫어하게 된다. 그러므로 할 수 있는 운동을 조금씩 변형시키면서 새로운 운동으로 넘어가야 한다.

유아들에게 놀이기구나 놀이시설을 사용하는 방법을 설명하거나 시범을 보여주어서 잘 사용할 수 있도록 해주어야 한다. 그러나 유아들이 가르쳐준 방법대로 안 하고 제멋대로 하더라도 안전상의 문제가 없는 한 내버려두어야 한다. 그 기구를 사용법대로 사용하는 것은 어른들의 생각이고, 유아들은 어른들이 상상할 수도 없는 방법으로 사용할 수도 있다.

실내에서 할 수 있는 운동프로그램과 실외에서 할 수 있는 운동프로그램이 거의 반반이 되도록 해야 한다. 실내에서만 운동을 하거나, 지나치게 야외수업만 고집하는 것은 바람직하지 못하다.

마지막으로 유아들에게 운동을 지도할 때에는 40분을 초과해서 너무 오랜 시간 동안 운동을 하게 하면 안 된다. 유아들은 빨리 지치고 빨리 회복된다. 그러므로 40분 동안 운동을 하더라도 중간중간에 알게 모르게 쉴 수 있도록 운동을 시켜야 한다.

다음은 유아들에게 운동프로그램을 지도할 때 유의해야 할 점들을 항목별로 나누어서 요약한 것이다.

» 내 용 : 놀이를 어떻게 조화시켜 학습하는 것이 좋을까에 대하여 검토하고, 필요한 교재를 선정하여 적절하게 편성해야 한다. 교재는 유아 집단 운동능력의 70% 수준으로 선택하는 것이 적당하다. 또 30분 정도의 운동시간으로 팔·몸통·다리 등의 신체부위를 골고루 이용할 수 있도록 지도해야 하며, 전체적인 유연성과 근력 등 신체의 발달을 가져올 수 있는 게임도 함께 실시하면 좋다.

» 시 간 : 지도시간은 학습내용에 따라 차이가 있으나, 일반적으로 30~40분 정도가 적당하다. 주당 몇 회를 실시할 것인가에 대해서도 유아 전체의 체력이나 심신의 발달상태·계절·날씨 등에 따라서 달라질 수 있으나, 한 가지 놀이에 10분 정도씩, 1주에 2~3회가 적당하다. 유아는 학습 진도율이 느리므로 이동이나 준비 및 대기 시간을 최대한 줄이고 주활동 프로그램의 반복횟수를 늘려주는 것이 좋다. 또 지도자가 가르치고자 하는 신체활동이나 움직임들을 충분히 경험할 수 있도록 시간을 적절히 분배해야 한다.

» 시 범 : 유아를 지도할 때에는 일방적인 지시보다는 지도자가 직접 행동으로 표현해주어야 빠르고 쉽게 이해한다. 신체의 어느 부분을 어느 위치에 두는지, 어떤 방향으로 얼마나 움직여야 하는지, 무엇을 유의해야 하는지, 신체의 어느 부분에 힘을 주고 힘을 이동해야 하는지

등을 자세히 보여주고 이야기해주어 유아가 활동을 정확하게 이해하도록 한다. 주의할 점은 이러한 시범수업 방법은 틀에 박힌 교육이 되어 유아의 창조성을 길러주지 못할 염려가 있으므로 유아의 이해와 창조성을 도울 수 있는 범위 안에서 행해져야 한다. 예를 들면 "이렇게 하세요." 보다는 "선생님을 따라하세요" "선생님이 이렇게 한 것보다 잘할 수 있는 사람 누가 있을까요?"라는 식으로 수업을 진행하는 것이 효과적이다.

» 안전사고에 대한 사전준비 또는 예방책이 마련되어야 한다. 체육 수업은 다른 수업에 비해 동적이고, 여러 가지 도구들을 사용하기 때문에 안전에 대해서 각별히 유념해야 한다.

» 유아의 생리적 · 심리적 · 사회적 측면을 충분히 고려해야 한다. 수업을 진행하다 보면 프로그램의 문제보다는 지도자와 유아들 간의 상호대립적인 부분에서 더 많은 문제들이 벌어진다. 보다 효과적인 수업을 진행하기 위해서는 유아들의 심리나 성격발달에 대한 것들을 이해해 두는 것이 좋다.

» 정해져 있는 질문은 피하고 설명은 간단명료해야 한다. 어떠한 지시나 상황에 대한 질문을 던질 때에는 되도록이면 답을 예상하는 질문은 피하고, 유아들이 충분히 상상할 수 있는 질문을 해주는 것이 좋다.

» 어떠한 동작에 대한 이해를 돕기 위한 설명이 길어지면 유아들의 집중력이 상대적으로 떨어져 비효율적인 전달방법이 되어버린다. 설명은 간단명료해야 하며, 추가설명은 동작을 시행하면서 하는 것이 좋다.

» 유아의 발달수준에 따른 적절한 내용을 단계적으로 계획하여 지도해야 한다. 일선에 계시는 일부 지도자들이 유아체육 프로그램들을 계획할 때 유아들의 흥미에 집착한 나머지 단지 보여 주기 위한 프로그램들을 실행하다 보니 유아들의 발달수준에 맞지 않는 부적합한 프

로그램들이 많이 형성되고 있다. 유아들에게 체육활동을 경험하게 해주는 것은 그 시기의 성장발달에 도움을 주기 위해서이지, 유아들의 신체 활동능력을 화려하게 포장하기 위해서가 아니다.

» 수업에 임하는 집단의 규모를 고려해야 한다. 같은 프로그램이라 할지라도 수업집단의 규모에 따라 상당히 많은 변인이 발생하게 된다. 그렇기 때문에 수업에 대한 프로그램을 만들 때나 수업에서 프로그램을 운영할 때에는 수업집단의 규모에 따라 변화를 주어야 한다.

» 체육활동은 과정을 중시해야 한다. 어떠한 결과를 도출하려는 계획이 중시된다면 그것은 실패한 프로그램이다. 유아들에게는 멋진 동작이나 뛰어난 신체적 기능이 중요한 것이 아니라 뛰고, 달리고, 구르고 하는 일련의 움직임을 통한 그 자체로써의 즐거움과 그러한 활동에 참여한다는 과정이 중요하다.

» 유아의 흥미나 능력에 맞는 활동이나 자료들을 다양하게 제공해야 한다. 유아들의 보다 적극적인 참여를 유도하기 위해서는 다양한 방법으로 흥미를 부여해주고 충분한 동기부여를 해주어야 한다. 그리고 유아들의 능력에 맞는 활동과 도구들이 필요하다.

» 준비와 마무리 체조를 정확히 한다. 준비와 마무리 체조를 할 때에는 아이들이 즐겨 부르는 동요나 음악을 준비하여 몸풀기 동작이나 놀이를 들어가기 전에 준비운동으로 적합한 동작으로 준비한다.

» 정리정돈 및 간단한 위생생활을 지도한다. 간단한 위생생활이란 체육활동을 마친 후 깨끗하게 손을 씻는 정도인데, 이때 계절에 따른, 혹은 바깥놀이 활동을 한 후 건강과 연결하여 아이들의 눈높이에 맞게 이야기해준다.

» 언행을 올바르게 하여 모범이 되어야 한다. 유아들은 그 시기의 특성상 어떠한 개체를 우상화시켜 동일시하려는 습성이 있다. 만약 지도

자가 우상이 된다면 지도자가 사용하는 언어, 그리고 행동을 따라하게 된다. 그렇기 때문에 유아들을 가르칠 때에는 언행에 각별히 신경을 써야 한다.

❷ 유아 운동프로그램 진행 시 안전지도

유아 운동프로그램을 진행할 때에는 안전한 운동환경을 조성하고 그것을 잘 관리하는 것이 중요하다. 한국소비자보호원의 보고에 의하면 4~6세의 유아들에게 집에서 발생하는 안전사고는 침대·소파·의자 등에서 추락하는 사고→방이나 거실에서 미끄러지는 사고→놀이기구에서 떨어지거나 넘어지는 사고 순으로 많았다.

또한 같은 또래의 유아들에게 어린이집이나 유치원 같은 보육시설에서 발생하는 안전사고는 미끄럼틀→그네→기어오르기 놀이시설→시소 순으로 많았다.

위와 같은 안전사고를 예방하고 유아들이 안전하게 운동할 수 있게 하려면 지도자가 철저하게 준비하고, 세심하게 유아들을 배려해야 한다.

다음에 운동 전, 중, 후로 나누어서 유의할 점을 요약하였다.

■ 운동 전

» 운동을 시작하기 전에 유아들의 건강상태를 지도자가 꼼꼼하게 확인하여야 한다. 열이나 복통이 있거나 설사나 기침을 심하게 하거나, 상처 난 곳이 있으면 운동을 시키지 말아야 한다.

» 복장상태를 확인해야 한다. 운동화끈이 풀려 있거나 모자가 바람에

날리면 그것을 잡으려다 안전사고가 일어날 수 있다. 그리고 소매나 바지의 길이도 그날의 날씨에 적합해야 한다. 어린이가 너무 땀을 많이 흘리거나 추워서 운동을 하는 데에 지장을 받으면 안 된다.

» 반드시 준비운동을 시켜야 한다. 준비운동을 하는 시간이 어른들처럼 길 필요는 없지만, 짧은 시간 동안이라도 준비운동을 시켜서 호흡순환계통, 근육과 관절계통, 정신상태 등을 운동을 하는 데 적합한 상태로 만들어주어야 한다.

» 식사 직후나 직전에는 운동을 피하는 것이 좋다. 섭취한 음식을 소화시키기 위해서 혈액이 내장으로 많이 분배되어야 하는데, 이때 운동을 하면 혈액이 근육으로 이동하므로 소화가 잘 안 될 가능성이 있다. 그리고 운동 직후에 식사를 하면 체증을 일으킬 가능성이 높기 때문에 피하는 것이 좋다.

■ 운동 중

» 운동을 하고 있는 유아의 얼굴빛을 잘 살펴봐야 한다. 얼굴이 창백해지거나, 다른 아이들보다 숨이 많이 가빠하면 즉시 운동을 멈추게 해야 한다. 유아들은 몸이 성숙되지 않았기 때문에 작은 자극에도 큰 손상을 입을 수 있다.

» 운동을 하다가 유아들이 다치는 일이 많다. 작은 상처라도 다시 한 번 생각해봐야 한다. 작은 상처를 큰 부상으로 확대시키는 것은 아닌지를 판단해서 운동을 계속하든지 멈추든지 결정해야 한다. 필요하면 응급처치를 한 다음 부모에게 연락하거나 병원에 데리고 가는 등 후속조치를 지체없이 취해야 한다.

» 지도자가 직접 눈으로 볼 수 있는 범위 내에서 유아들이 운동을 하도

록 해야 한다. 유아들은 어른이 생각하지 못하는 방법으로 운동을 할
수도 있기 때문이다.

■ 운동 후

» 정리운동을 반드시 해야 한다. 유아들에게는 스트레칭 같은 정리운동
이 필요한 것이 아니라, 숨을 고르고 몸이 일상적인 상태로 돌아오는
시간이 필요하다. 그러므로 갑자기 운동을 끝내버리지 말고 가볍게
뛰거나 사용했던 운동기구를 정리 정돈하는 것을 정리운동 대신에 해
도 된다.

» 운동이 끝난 다음에는 샤워를 하는 것이 가장 좋지만, 사정이 여의치
못하면 손발과 얼굴만 깨끗이 씻어도 된다.

» 어린이들은 빨리 지치므로 운동이 끝나고 손발을 씻은 다음에는 잠
깐 동안의 휴식시간을 주는 것이 좋다.

03 유아 운동프로그램 지도를 위한 환경

❶ 유아 운동을 위한 환경 조성

유아에게 운동놀이를 지도할 때 환경을 어떻게 구성하느냐에 따라서
유아의 성장과 발달에 영향을 미치는 것은 물론이고, 지도자가 하는 지도
활동의 효율도 달라진다.

다음은 유아들을 위한 운동환경을 조성할 때 고려해야 할 사항들을 간추린 것이다.

» 안전성 : 유아들은 조심성과 주의력이 부족하기 때문에 스스로 자신의 안전을 도모할 수 없다. 그러므로 지도자가 최우선적으로 안전을 고려해야 한다. 설비들을 안전하게 배치하고 지속적으로 관리 · 감독함으로써 유아들을 사고의 위험에서 최대한 보호해야 한다. 무엇보다도 수업을 할 때 눈에 보이지 않는 유아가 없어야 한다. 어떻게든지 항상 지도자의 시야 안에 유아들이 들어오도록 환경을 조성해야 한다.

» 편안함 : 온도 · 습도 · 조명 · 환기 등에 신경을 써서 유아들이 편안하게 활동에 몰입할 수 있도록 해야 하고, 지도자가 활동하기에도 편리하도록 해야 한다. 실외에는 지붕이 있는 놀이공간이 있어야 비가 오거나 눈이 내리는 등 날씨 변화의 영향을 덜 받을 수 있다.

» 공간의 확보 : 유아들이 실내에서 활동할 때 필요한 공간은 1인당 약 1평이고, 실외활동에는 2~3배의 공간이 필요하다. 그밖에도 개인적인 공간이 있어야 하고, 집단으로 운동을 할 때 집단과 집단을 구분할 수 있도록 하는 여유공간도 있어야 한다.

» 소음 : 너무 소음이 심하면 소음을 흡수할 수 있는 방안을 마련해야 한다. 그리고 비교적 시끄러운 가운데에 이루어지는 활동끼리 가깝게, 조용한 활동끼리 가깝게 장소를 배정해야 한다.

» 수업활동 중에 유아들이 이동하면서 서로 부딪치지 않도록 충분한 이동공간이 있어야 하고, 너무나 길면서 텅 빈 공간이 있으면 안전사고의 위험이 크다.

② 유아운동을 위한 시설 설비의 종류와 선정 원칙 ················

유치원이나 어린이집에는 유아들이 체육적 놀이를 하는 데에 필요한 시설과 설비가 준비되어 있다. 무엇을 비치해야 한다는 법적 규정은 없지만 권고하는 것들은 있다. 표 5-1은 전국에 있는 어린이집이나 유치원 또는 기타 놀이시설에 공통적으로 비치되어 있는 것들을 모은 것이다.

▶ 표 5-1   유아운동 시설 및 설비

시 설	설 비
모래사장 물놀이장	미끄럼틀, 정글짐, 그네, 건너는 기구 등
정원 및 광장 실내놀이장	공중놀이기구, 흔들놀이기구, 회전놀이기구, 오르는 기구 등
음향시설 기타	조합놀이대, 충격흡수재, 평균대 등

위와 같은 시설 설비가 유아들의 운동에 체육학적 또는 의학적으로 가치가 있기 때문에 갖추어 놓은 것이 아니라, 유치원이나 어린이집의 설립 허가를 받을 때에 관련 기관에서 권장하였기 때문에 준비한 것들이라고 한다.

여기에 더해서 고급 유치원이나 어린이집에는 최신 놀이시설들을 갖추었다고 선전하면서 원아들을 모집하고 있다. 과연 새로운 놀이시설이 유아들에게 더 이로운지는 아무런 검증도 없다는 데에 문제가 있다. 그러므로 어린이들을 위한 놀이시설에 대한 학술적인 연구와 검증이 하루 빨리 이루어져야 할 것이다.

다음은 여러 종류의 놀이시설 또는 설비 중에서 무엇을 구비하는 것이 좋을지 결정할 때 고려해야 할 4가지 원칙은 설명한 것이다.

» 안전성을 고려해야 한다. 안전성은 다른 어떤 원칙보다도 가장 우선적으로 고려되어야 한다. 어린이 놀이시설 또는 설비가 어린이들의 건강을 해치는 물질로 만들어졌다든지, 상해를 발생시키기 쉽게 만들어졌다든지 하는 소리를 가끔 듣는다. 그것은 대부분 경제적인 논리에 밀려서 예산을 줄일 목적으로 값싼 재질로 만들었든가 날림공사를 한 것이 원인이다. 어린이들의 생명을 담보로 예산을 줄인다는 것은 있을 수 없는 일이다.

» 흥미성이 중요하다. "좋아서 하는 일이 곧 잘하는 길이다."는 속담처럼 어린이들이 하고 싶은 것 또는 어린이들이 흥미를 가지고 있는 것은 주위의 도움없이도 놀랄 정도로 발전하는 것을 볼 수 있다. 어린이들의 자발성과 자주성을 기른다는 의미에서도 어린이들의 흥미성을 고려하는 것이 대단히 중요하다. 어린이 특히 남자 어린이들은 스릴을 좋아해서 모험적인 일을 하고 싶어 한다. 그것을 위험하다고 하지 못하게 말리면 하고 싶어 하는 어린이의 마음(정심)을 억누른 셈이 된다. 모험심이나 용감성은 어릴 때 기르지 아니하면 나중에 길러질 가망성이 적다. 어린이가 하고 싶은 것을 못하게 하면 점점 더 하고 싶어지므로 위험하다고 생각되는 것을 제거해서 어린이가 해볼 수 있게 해주어야 한다.

» 필요성을 고려해야 한다. 어떤 일을 어린이가 전혀 흥미가 없어 하더라도 어린이의 발달 측면에서 생각했을 때 어린이에게 꼭 필요한 것이라면 그냥 두어서는 안 된다. 여자아이들은 손재주가 있는 운동이 좋다는 핑계를 대면서 발운동을 등한시하거나, 춤추는 것이 좋다고 하면서 달리기·뜀뛰기·던지기와 같은 운동을 하지 않는다고 하면 전신을 조화롭게 발달시킬 수 없다는 것을 알아야 한다. 어린이들은 한 가지 놀이에 빠져들면 중간에 그것을 그만두지 않으려고 한다. 적당

한 시기에 중간에 끼어들어서 다른 점을 보완할 수 있는 놀이로 유도해야 하고, 준비되어 있는 시설들을 고루고루 사용해서 각각의 시설이 가지고 있는 고유의 기능을 모두 다 발달시키는 것이 좋다.

» 경제성을 고려해야 한다. 제조사의 편의주의나 이윤추구 때문에 시설이나 설비가 어린이에게 맞지 않게 되는 경우가 가끔 있다. 일반사회에서는 당연히 경제성이 지배적인 역할을 하지만, 물질로 대신할 수 없는 인간을 교육하는 데에서는 경제성에 얽매이면 곤란하다. 그러나 현실적으로 볼 때 자본주의 사회에 살면서 경제성을 무시하는 데에는 한계가 있으므로 인간의 존엄성을 조금이라도 훼손하지 않는 범위 내에서 경제성을 고려해야 한다.

❸ 유아 운동을 위한 시설과 설비의 관리

유아들의 운동이 잘 진행되어 나가려면 신체활동에 필요한 시설·설비·용구 등이 빠짐없이 준비되어 있고, 끊임없이 계속해서 사용되고, 항상 정비되어 있는 상태이어야 한다. 위와 같은 상태를 항상 유지하려는 목적으로 행해지는 모든 조치를 '관리'라고 한다.

관리는 현재의 상태를 가능한 한 손괴시키지 않고 오래 동안 사용할 수 있도록 만든다기보다는 어떻게 하면 좀 더 이용을 잘 할 수 있을까에 주의를 더 기울이는 것이다. 말하자면 사용하기 위해서 관리하는 것이지 오래 동안 간직하거나 겉치레하려고 관리하는 것이 아니다.

다음은 관리방법을 크게 세 가지로 나누어서 설명한 것이다.

➜ 필요한 물건의 종류와 수량을 확인하고 그것을 확보해야 한다.

"무엇이 필요한가?"하는 것은 "무엇을 가르칠 것인가?"와 깊은 관련이 있다. 그러므로 '그것이 설치기준에 있으니까' 또는 '다른 유치원에 있으니까'라는 식으로 소극적으로 생각하지 말고, '어린이들을 보육하는 것이 중요하니까', '어린이들이 무엇을 원하니까' 또는 '그것이 어떤 의미가 있으니까' 등을 생각해봤을 때 무엇이 얼마만큼 필요하다고 결론짓는 식의 적극적인 태도를 가져야 한다.

➜ 평상시에 사용하기 쉬운 상태를 유지해야 한다.

앞에서도 말했듯이 관리가 보관하는 것도 아니고, 사용하지 않는 것도 아니다. 쓸모없게 망가지는 것을 방지하고, 필요하면 즉각적으로 사용할 수 있는 상태를 만들어 놓는 것이 관리이다. 그러므로 사용 후에는 반드시 점검과 정비를 해서 보관해야 한다.

창고의 출입구가 넓어야 입출고가 쉽고, 자주 사용하는 물건은 창고의 입구 가까이에 비치하고, 계절에 따라서 사용하는 물건은 다음 계절에 사용할 물건과 위치를 서로 바꾸어 놓는 것이 좋다. 그리고 창고에 넣을 때 난잡하게 넣으면 꺼낼 때 시간이 걸릴 뿐 아니라 물건이 망가지는 원인이 된다.

배드민턴 라켓과 같이 연약한 물건을 아무렇게나 두어서 무거운 것에 눌리면 부러지거나 휘어져버리기 때문에 벽에 못을 박고 걸어두는 것이 좋다. 라인 기는 사용 후에 남은 석회가 습기를 빨아들여서 응고되기 때문에 사용이 끝나는 즉시 남은 석회를 제거해야 한다.

그밖에 장비 하나하나에 대하여 모두 설명할 수는 없지만, 요컨대 하나하나의 장비를 제때 사용할 수 있도록 정리정돈을 해 두어야 한다. 그것을 지도자 혼자 다하려고 하지 말고 어린이들에게도 잘 이해시켜서 스스로 정리정돈을 할 수 있도록 하는 것이 좋다.

➔ 유의해서 점검과 정비를 하고, 적절한 조치를 해두어야 한다.

시설 · 설비 · 용구는 사용하지 않더라도 소모도 되고, 손상도 되기 쉽다. 예를 들어 미끄럼틀은 세월이 흐르면 조금씩 녹이 슬어서 부식이 되고, 고무공은 햇볕에 노출되면 가는 균열이 생겨서 바람이 빠져버린다.

거기에다 이것들은 어린이들이 자주 사용하면 사용할수록 점점 더 소모되고 손상되는 정도가 심해진다. 그렇게 되면 어린이들에게 점점 더 큰 위험을 주게 되므로 지도자는 평소에 장비점검을 소홀히 해서는 안 된다. 불비한 것은 신경을 써서 즉각적 보수 또는 보정을 해 두는 것이 가장 좋다.

04 유아체육 지도상의 유의사항

실제로 체육놀이를 지도할 때 지도자는 아이들 한 사람 한 사람이 가지고 있는 힘을 최대한을 발휘할 수 있도록 다양한 주의를 기울여야 한다.

지도자는 아이들을 다음과 같이 되도록 기르고 싶다는 '생각, 바람'을 확실히 가져야 한다. 구체적으로 스스로 주체적 · 자발적으로 구성하고, 상황에 맞게 스스로 생각하고, 판단하고, 행동할 수 있는 아이가 될 수 있도록 기르는 것이다.

그렇게 하기 위해 지도자는 ① 지도할 때 배려할 점과 ② 아이와의 관계에서 배려할 점을 이해한 다음 실제 지도에 임해야 한다.

지도할 때 배려할 점

» 쉬운 것(간단한 것)부터 어려운 것으로 단계적인 지도를 한다.

» 그룹놀이에서는 적은 인원부터 시작한다. 한 명 한 명의 역할을 명확하게 한다.

» 규칙 이해를 위한 전개
  - 지킬 수 있는 규칙을 만들기 위해 연구한다.
  - 규칙을 지키면서 노는 것이 '즐거워'지는 경험을 하게 한다.

» 지도를 할 때에는 강약을 둔다.
  - 키워드는 멈춤과 움직임, Go and Stop, 힘주기와 힘빼기
  - 아이의 흥미 · 관심 · 이해도에 맞게 '흐름'을 만든다.

» 운동량을 제대로 한다.

  자신이 하고 싶은 것을 찾아 놀 수 있는 환경을 갖춰주고, 마음껏 몸을 움직여서 운동량을 제대로 확보하도록 한다.

» 아이의 성장에 맞게 '친구 만들기 놀이'를 전개

  친구 만들기 놀이는 다른 사람과 부딪혀가면서 '힘을 맞춘다(협력한다)', '힘을 비교한다(경쟁한다)'와 같은 움직임을 행하는 것이다. 이것은 자신의 힘을 상대에게 전달함으로써 상대의 힘을 느끼고, 동시에 자신의 힘을 느낄 수 있다. 이 움직임을 통해 상대에 대해 제대로 자신의 힘을 조절(힘의 조정력)할 수 있게 된다.

» 습관화될 때까지 반복해서 열심히 지도

  아이는 반복해서 체험을 거듭함으로써 하나하나의 행동을 몸에 익히게 된다. 반복할 때에는 제대로 '목표'를 갖는 것이 중요하다. 아이를 많이 기다리게 하지 않으려는 연구가 필요하다(끝없는 놀이)

» 안전을 충분히 고려한다.

  보육현장은 '생명'을 기르고 맡는 곳이다. 따라서 방심 · 착각 · 부실 · 억측판단 등에 의한 휴먼 에러를 하지 않도록 주의한다.

» 즐거움에 치우치지 말고 지도하는 것이 중요하다.

» 아이가 '발견'하거나 '지혜'를 끄집어낼 수 있을 법한 지도를 한다

놀이에 집중함으로써 아이도 여러 가지 것들을 '깨닫고', '생각하고', '시도해보면서' 노는 것이 가능하다.

❷ 아이와의 관계에서 배려할 점 ·····························

» 조언 · 조력에 대하여

개인의 신체적 · 지적 · 퍼스널리티의 특징을 알고 각자에게 맞는 능력이나 경험을 충분히 배려하고, 관계를 맺는 것이 중요하다.

» 아이가 흥미 · 관심 · 의욕을 나타낼 수 있도록 관계를 맺는 것이 중요하다.

아이가 안전하게 생활하기 위한 기본적인 능력은 주로 놀이를 통해 사물이나 사람과의 관계 속에서 시도해보거나, 집중하거나, 의문을 가지는 체험을 통해 길러진다.

» 아이도 이해를 한다.

중요한 것은 우선 영유아를 이해하는 것이다. 개개의 아이들의 실태를 알고 상황에 맞게 대응할 수 있도록 준비해야 한다. 영유아의 행동특징을 이해하여야 사고발생의 요인을 예측하고, 대책을 세울 수 있다.

» 신체면에서 본 특징

• 아이는 머리는 크고 무겁다. 전도 · 전락하기 쉬운 것은 중심이 높기 때문이다.

• 영유아기는 몸의 모든 기관이 미발달된 단계이다. 뇌의 발달을 포함한 신경기능은 유아기에 이미 성인에 가까운 형태로 발달되어 있다. 따라

서 영유아기의 운동은 신경계통을 중심으로 한 밸런스 타이밍을 잡는 움직임, 날렵함, 치밀함과 같은 전신 조정력 요소가 많이 포함된 운동이나 놀이를 행하는 것이 중요하다(신경기능의 미분화로부터 분화로)

- 아이의 시각범위는 어른과 다르다. 특히 자신이 보고 있는 범위 이외의 것은 지각하기 어렵다.

» 마음면에서 본 특징

- 말로 설명하는 것은 이해가 부족하다. 반드시 '시범'을 보인다.
- 아이는 흥미가 없는 것은 하지 않는다. 흥미·관심을 갖게끔 말을 거는 것이 중요하다.
- 아이는 위험을 예지하는 능력이 낮다.

» 행동면에서 본 특징

- 아이는 보이지 않는 곳(물건으로 가려진 구석이나 틈새)에서 노는 것을 좋아한다.
- 모방놀이를 좋아해서 주인공이 되려고 한다.
- 흥미를 일으키면 행동을 멈출 수 없게 된다.

❸ 용구의 이해에 대하여

» 용구의 안전한 사용방법을 알아둔다.
» 기존의 개념에 사로잡히지 않는 창의적인 연구가 중요하다.
» 용구에 대한 지식을 갖춰둘 필요가 있다.
» 가까이 있는 것들을 사용해서 직접 만드는 용구나 놀이도구를 창조한다.

- 준비나 나중에 정리할 때에는 아이도 안전한 취급방법으로 할 수 있게 한다.

05 유아기의 영양과 운동

❶ 아이들의 발달과정에 맞춘 식사 ···

유아기인 아이의 식사형태는 이유식부터 성인이 평소에 먹는 식사로 가는 이동기간이 된다. 이 기간 동안 아이의 식욕은 주어진 것에서 자주적인 방향으로 변화해간다. 그 후 자신의 오(5)감·생리기능을 통해 스스로 먹고 싶은 식욕·식감·만족감이 생겨나도록 잘 이행시켜주는 것이 중요하다.

유아기 아이의 식사는 성인과 같으면 된다고 생각하지 말고, 표 5-2와 같이 아이의 신체발달과 마음의 성장에 맞춰가는 것이 중요하다. 또한 신체발달은 영아기에 이어져 왕성한 시기이지만 개인차가 있으므로 한 명 한 명의 아이에게 맞춰주어야 한다.

아이는 턱관절의 발달이 미숙하고, 입 속의 용량이 크지 않아 성인이 먹는 딱딱한 음식이나 양을 먹을 수 없다. 또한 소화관의 기능도 미숙하여 부담이 갈 수밖에 없다.

정신적 발달 측면에서도 즐거운 식탁에서 아이의 식습관을 형성시키는 것이 중요하다. 이유기에는 모유 혹은 분유와 이유식 중심의 식사지만, 그 다음은 고형식이 된다. 이때부터 식품에 대한 호불호가 나타난다. 이것도

▶ 표 5-2 유아기 아이의 발달

	전 반	후 반	
	1~2세	2세	3·4·5세
신체 발달	» 신장은 태어날 때의 약 1.5배 (약 75~80cm) » 체중은 태어날 때의 약 3배 (9~10kg)	» 신장은 약 85~90cm » 체중은 약 11~12kg	» 5세가 되면 신장은 태어났을 때의 약 2배 » 3세가 되면 체중은 태어났을 때의 약 4배, 4세에는 약 5배(약 15kg)
	양적 변화		
운동 기능 발달	» 혼자서 걸을 수 있다. » 계단을 하나씩 올라간다. » 1세 반 무렵에는 달릴 수 있다. » 나무블럭을 2~3개 쌓는다 » 끄적거리기를 하게 된다. » 음악에 맞춰 몸을 움직인다.	» 계단을 한 손으로 잡고 오르내릴 수 있다. » 넘어지지 않고 달린다. » 공을 차거나 던질 수 있다. » 손가락끝의 움직임이 정교해진다.	» 운동기능이 급격히 발달한다. » 세발자전거, 보조바퀴가 달린 두발자전거를 탈 수 있다. » 옷을 스스로 입는다. » 재주넘기를 할 수 있다. » 큰 공을 잡을 수 있다. » 혼자서 소변과 대변을 볼 수 있다.
치아 발달	» 제1유구치가 갖춰진다. » 유치는 8~12개 정도	» 유치가 난다. » 유치는 16~20개 정도 » 제2유구치가 갖춰진다.	» 유치는 윗니 10개, 아랫니 10개 난다.
	단단한 정도의 변화		
마음의 발달	» 말을 하기 시작한다. » 자기의식이 싹튼다. » 행동이나 흥미의 대상이 넓어진다. » 스스로 뭐든지 하고 싶어진다. » 배가 고프면 요구한다.	» 떼를 쓴다. » 짜증을 부린다. » 말수가 늘어난다. '엄마 없어' 등 » '싫어' '내가' 등 자기주장을 한다 (반항기). » 말이나 태도에서 좋고 싫음을 분명하게 나타낸다.	» 사회성이 싹트기 시작한다. » 집단 안에서 친구와 논다. » 친구와 함께 테이블에서 식사를 즐긴다. » 상대의 반응을 확인한다. » '저게 뭐야' '왜' 등의 질문이 많아진다. » 어제 일어난 일이 기억에 남는다.
식사 동작의 발달	» 음식에 대한 호불호가 분명해진다. » 손으로 집어먹는 일이 왕성해진다. » 먹이려고 하면 싫어한다. » 식탁에 가만히 앉아 있지 않는다. » 1세 반이라면 약간 도와주면 혼자 먹을 수 있다.	» 음식의 맛을 기억하고, 먹고 싶은 음식을 원한다. » 음식 취향이 과격하다. » 안 먹거나, 간식만 먹으려 들거나, 놀면서 먹는 일 등이 늘어난다. » 컵을 한 손으로 잡고 마신다. » 스푼을 흘리지 않고 사용할 수 있다. » 젓가락을 쥘 수 있게 된다. » 흘리면 닦으려고 한다.	» 젓가락을 사용할 수 있게 된다. » 식기를 잡고, 양손을 써서 혼자서 먹을 수 있게 된다. » 흘리지 않고 마실 수 있다. » 식사 준비를 돕고 싶어 한다. » 손씻기를 혼자하기 시작한다. » 양치질을 혼자서 할 수 있게 된다. » 음식에 대한 호불호가 나타난다.
	음식에 대한 흥미의 변화		

※ 에너지는 체중 1kg당 성인의 약 2~3배, 칼슘은 약 4배 필요하다.
　성인에 비해 한 번에 먹을 수 있는 양이 적으므로 간식도 식사의 일환으로 여긴다.
　1일 3식 + 간식 1~2회(에너지섭취기준의 15% 전후)로 한다.

정신적인 면의 발달과 관계가 있다. 이 시기의 식습관이 나중에 큰 영향을 미치므로 즐겁게 올바른 식습관을 형성시켜주어야 한다.

한편 아이에게 식사를 제공하는 방법은 '강제'와 '방임' 중의 하나이다. 어느 쪽이 좋은지 나쁜지보다 아이의 마음에 다가가 아이의 기분을 살펴주면서 진행하는 것이 중요하다.

아이의 몸 만들기는 제대로 먹고, 제대로 놀고, 잘 자는 건강한 생활리듬을 확립시켜줄 수 있는 식사방식이 중요한 요소가 된다.

❷ 유아기 전기(영아기, 1~2세)

■ 영양과 1일 섭취식품의 기준량

1~2세 아이는 씹기능력도 충분하지 못하고, 자기주장도 싹트기 시작한다. 세 번의 식사를 준비해도 원활하게 먹는 아이와 먹기 싫어하는 아이가 있다. 이 때문에 아이 주변의 어른들 중에는 영양성분에 너무 신경 쓰는 사람도 있다.

이 경우에는 일반적으로 철분이나 칼슘이 부족하기 쉽다. 이상적인 식사는 1일 식사량·영양소량이 매끼 식사로 충족되는 것이 좋다.

그러나 1일 식사가 걱정되면 될 수 있는 한 1일을 평균화하여 식사량·영양소량을 충족하고 있는지를 살펴보는 것이 좋다.

그림 5-1에는 '유아기 전기(1~2세)의 1일 섭취식품 기준량'을 나타냈다.

곡류(밥, 빵, 면 등)
200~300g

감자류 50g

유지류 10g

알류 30~40g

어류·육류·대두·콩제품
합쳐서 90~115g

야채류 200g

우유·유제품 400g

해조류 2~5g

과일류 100~150g

▶ **그림 5-1   유아기 전기(1~2세)의 1일 섭취식품 기준량**

■ 1세 아이의 포인트

1세 전후는 이유식의 완료기와도 겹치므로 조금씩 고형식 중심의 유아식으로 이행해가야 한다.

이 무렵의 영아는 먹는 것에 대한 의욕과 관심을 갖기 시작하고, 단순히 스스로 먹고 싶다는 욕구로 먹는 경우도 많아진다. 아이가 먹고 싶어하는 욕구를 존중하고, 손으로 집어먹으려고 할 때에는 그것을 체험시켜주는 것도 중요하다.

이 시기가 되면 어금니가 나기 시작하므로 잘 씹을 수 있다. 앞니로 자르고 잇몸으로 부수는 단계에서 어금니로 씹는 연습으로 이행해간다.

■ 2세 아이의 포인트

2세 전후의 영아는 자아가 싹트고, 자기주장이 분명해진다. 그러나 아직 응석을 부리고 싶은 기분과 의존심이 강하므로 먹고 싶어도 '싫어!'라고 표현하고, 모순을 느끼게 될 만큼 정서가 불안정한 시기이기도 하다.

이 시기에 먹을 것에 관련하여 너무 많은 주의를 주면 오히려 식사를 싫어하게 될 수도 있다. 될 수 있는 한 부모와 아이가 함께 식사하고, 즐거운 분위기를 만들기 위해 노력해야 한다.

어른 입장에서는 아이가 음식을 함부로 다루거나 놀면서 먹으려는 경향이 고민이 될 수도 있겠지만, 그 한 가지만 보고 소리를 지르거나 꾸짖어서는 안 된다. 아이의 특징이나 생활면을 살펴보면서 아이의 식생활 전체를 통해 생각해주는 것이 중요하다.

■ 식단의 포인트

요리는 싱거운 맛을 내도록 신경써야 한다. 미각은 나이가 들면서 저하된다. 따라서 이 시기에 짠맛에 길들여지면 예상 이상으로 짠맛을 좋아하게 되어 생활습관병의 위험성이 높아진다.

1세 아이는 어금니가 나기 전이므로 식품을 선택할 때에는 가열해서 딱딱해진 고기나 오징어·문어 등은 피하도록 한다.

또한 보기에도 예쁘고 즐거운 식사로 만들기 위해 신경쓰는 일도 중요하다. 색을 잘 사용하거나 동물모양으로 만든 반찬은 보기에도 예쁘고 적극적으로 식사를 즐기게 만들어줄 것이다.

❸ 유아기 후기(3~5세)

■ 영양과 1일 섭취식품의 기준량

이 시기는 유아기 전기에 이어 일반적으로 철분이나 칼슘의 부족하기 쉬우므로 우유나 유제품, 멸치나 톳 등의 해조류도 섭취하게 한다. 칼슘흡수율을 높이기 위해서라도 생선이나 말린 표고 등에 함유된 비타민 D와 같이 섭취하게 한다.

그림 5-2는 '유아기 후기(3~5세)의 1일 섭취식품 기준량'이다.

곡류(밥, 빵, 면 등)
300~400g

감자류 70g

유지류 20g

알류 50g

어류·육류·대두·콩제품
합쳐서 130~150g

야채류 240g

우유·유제품 400g

해조류 2~5g

과일류 150~200g

▶ **그림 5-2** 유아기 후기(3~5세)의 1일 섭취식품 기준량

■ 유아기 후기의 포인트

유아기 후기는 한층 먹는 것을 의식한 나머지 '저게 먹고 싶어', '이게 먹고 싶어'등 말이나 동작으로 의사표시를 한다. 이와 동시에 좋고싫음을 분명히 하는 등 개인차도 나타난다.

1~2세 경에는 먹기 어려운 것이 호불호의 원인이 된다. 그러나 이 시기에는 식욕부진을 호소하거나 부모가 억지로 식사를 하게 함으로써 식사를 고통으로 느끼는 식체험이나 기억 때문에 호불호가 생긴다.

이 경우 다양한 맛, 단단한 정도, 새로운 식품 추가 등으로 취향을 변화시켜주면 여러 가지 음식을 먹을 수 있게 된다. 많은 식체험으로 먹을 수 있는 식품이 많아지면 식생활이 풍부해질 수 있으므로 느긋하게 접하게 하면서 먹여주는 것이 중요하다. 또한 규칙적인 식사시간은 소화흡수의 생체리듬을 활발하게 하고, 영양대사면으로도 중요하다.

한편 식사 시의 예의범절도 가르쳐야 한다. 저작기능이 발달하고, 스푼이나 포크 외에 젓가락도 사용할 수 있게 되므로 젓가락사용법이나 식사 매너 등 식생활의 기본이나 식사의 즐거움을 가르칠 필요가 있다.

■ 식단의 포인트

아이의 혀에 있는 미뢰(맛봉오리 ; 혀에서 맛을 느끼는 미각세포가 모인 곳)는 맛을 가장 잘 알 수 있도록 발달되어 있어서 여러 가지 맛을 체험시켜준다.

마늘 · 생강 · 겨자 등 자극적인 향신료도 조금씩 밑간으로 사용해서 익숙해지게 한다. 단맛 · 짠맛 · 감칠맛 외에 신맛도 조금씩 익숙해지게 한다.

이 시기는 치아도 나고 먹는 방법도 안정되어가는 시기이므로 성인과 함께 침착하게 식사를 즐길 수 있을 것이다.

이유식에서는 피하고 싶었던 냄새가 강한 야채나 섬유질이 많은 버섯류도 성인의 식사에 가까워지게 하기 위해 요리방법을 연구하여 넣는다. 야채를 좀 더 좋아하게 되면 다른 식품도 먹을 수 있게 되므로 아이가 먹을 수 있는 식품을 늘려갈 기회로 삼아도 좋다.

그런데 늘 같은 요리만 주면 싫은 경험이 기억으로 남아버려 일시적으로 먹지 않게 된다. 이럴 때에는 무리해서 강요하지 말고, 아이가 무리없이 먹을 수 있는 요리를 끈기있게 찾아 식탁에 올린다. 조금이라도 먹을 수 있게 되었을 때에는 "먹을 수 있게 됐구나."라고 상냥하게 말을 걸어주는 것도 중요하다.

유아기는 소화기능이 자리 잡기 시작하므로 생식품도 적당히 이용할 수 있게 된다. 그러나 아직 어른에 비하면 소화기능뿐만 아니라 면역기능도 미숙하므로 양은 조금씩 하고, 안심할 수 있는 신선한 재료를 선택하는 것이 기본이다.

가족과 함께 즐거운 식사를 할 수 있도록 신경쓰면서 음식에 더 깊은 관심을 가질 수 있게 해준다.

식사가 즐겁게 느껴질 수 있는 분위기를 만들어주는 것이 중요하다.

❹ 운동습관이 많은 아이를 위하여

최근에는 10대 젊은이들이 운동과 멀어졌는가 하면, 반대로 10대에 프로선수가 되는 아이도 있다. 아이가 운동을 하면 운동능력 향상뿐만 아니라 정신력도 길러진다.

그런데 운동능력 향상의 기본이 되는 운동을 하는 몸을 만드는 식생활을 경시한 나머지 충분한 영양이 섭취되고 있지 않은 경우도 있다. 또 너무 많은 연습으로 인한 신체적 부담이 물리적인 한계를 넘어서는 경우에 대한 배려가 충분히 이루어지지 않는 경우도 있다.

영양결핍상태에서 운동을 하면 건강상태나 신체적 장애를 일으킬 수도 있다(표 5-3 참조). 따라서 운동량에 맞도록 에너지를 섭취하고, 단백질·비타민·미네랄 등을 식사로 채워주는 것이 중요하다.

한편 영양부족을 보충하기 위해 보충제(supplement)의 과잉섭취가 걱정된다는 보고도 있다.

유아기는 정신적으로나 육체적으로나 여러 가지 내용을 몸에 축적하는 시기이다. 따라서 아이에게 식사·음식을 제공할 때는 주의해야 한다. 그중에서도 운동에 의한 에너지·영양소의 소비가 클 때 중요해지며, 충분

▶ 표 5-3 영양소 결핍의 영향

영양성분		부족해서 아이에게 생기는 증상
단백질		쉽게 피곤하고, 체력·스태미너가 떨어진다. 의욕이 나지 않는다. 발육이 늦다. 학습능력이 떨어진다. 면역력이 저하된다.
지용성 비타민	비타민 A	감염증에 걸리기 쉬워진다. 시력이 저하된다. 몸과 지능의 발달이 늦어진다.
	비타민 D	뼈·치아·근육의 발달 불량, 결핍증, 기분이 좋지 않음, 불안초조, 탈력감, 불면
	비타민 E	체내조직의 산화 진행, 콜레스테롤 증가, 발육 지연
수용성 비타민	비타민 B_1	식욕부진, 쉽게 피로해짐, 신경계통의 이상, 위·심장기능 저하, 근육이나 신경이 아프다.
	비타민 B_2	발육이 늦어진다. 체중감소. 식욕부진. 구내염, 구각염, 피부염에 걸리기 쉽다.
	비타민 C	허약하고 차분해지지 않는다. 혈관이 약해지고 뼈나 장기가 약해진다. 상처가 잘 낫지 않는다. 감염증에 걸리기 쉽다.
미네랄	칼슘	뼈·치아의 발육 불량, 체력저하, 충치·구루병의 원인. 심장기능 저하, 부정맥, 신경과민
	마그네슘	근육의 떨림, 두근거림(동계항진), 부정맥. 신경과민. 무기력, 우울증, 식욕부진, 피곤해지기 쉽다.
	철	몸 전체의 기능 저하, 처짐. 빈혈, 스트레스에 대한 저항력 저하. 구각염

한 정보제공이 필요하다. 이러한 문제가 생기지 않도록 식사와 간식으로 영양보급을 하기 위해서는 식사·음식에 대한 흥미와 식욕을 돋게 해주는 일이 가장 중요하다.

또한 운동은 단거리 달리기처럼 한 번에 힘을 내는 순발성 운동과 마라톤처럼 전신을 사용하는 지구성 운동의 2종류로 나뉜다. 유아기의 아이의 몸은 근육량이 적기 때문에 운동을 반복해도 근육의 질을 바꿀 수 있는 효과는 적다. 따라서 유아기의 아이에게는 건전한 정신력과 신체발달 촉진을 목적으로 식사를 제공하는 것이 기본이다.

운동습관이 많은 아이에게는 운동종류에 맞는 식사보다는 평생동안 운동을 계속하기 위한 몸 만들기에 도움이 되는 식사·간식을 챙겨주는 것이 중요하다.

그에 대한 대책은 아이가 운동으로 잃어버리는 수분·에너지·단백질·철·칼슘·각종 비타민류 등을 보충할 수 있는 영양보급이다. 또한 운동 중 스태미너 지속이나 운동 후의 피로회복에 적합한 식사 만들기, 각각의 운동특징에 맞는 식사 만들기도 중요하다.

▶ 표 5-4   즐거운 식사를 위한 5가지 조건

▣ 함께 먹는 사람이 있다.
▣ 식사 시각이 어느 정도 정해져 있다.
▣ 식사를 오감으로 느낀다.
▣ 음식에 흥미를 느낀다.
▣ 몸을 움직이는 것에 흥미가 있다.

제6장

연령별 운동능력 향상 프로그램

3세용 운동능력 향상 프로그램

I. 달리기

시간	종목	상황
3분	인사	
3분	**달리다 서기** 삐—	유아의 말과 행동 말걸기 유아의 반응
5분	**도형 만들기 체조** 동그라미 / 원 / 해보세요. / 동그라미 / 원	유아의 말과 행동 말걸기 유아의 반응
7분	**뛰어 돌아다니기** 삐—	유아의 말과 행동 말걸기 유아의 반응
10분	**두더지 술래잡기** 잡을거야. / 웅크린다	유아의 말과 행동 말걸기 유아의 반응
2분	인사	

2. 뛰기

시간	종목	상황
3분	인사	
3분	**동물처럼 점프하기** 토끼 / 곰	유아의 말과 행동 말걸기 유아의 반응
5분	**여러 부위 만지기** 머리 / 머리	유아의 말과 행동 말걸기 유아의 반응
7분	**리듬 점프** 한 발 뛰기 / 한 발 뛰기	유아의 말과 행동 말걸기 유아의 반응
10분	**점프해서 후프 안으로 들어가고 나가기** 들어간다 / 나간다	유아의 말과 행동 말걸기 유아의 반응
2분	인사	

3. 던지기

시간	종목	상황
3분	인사	
5분	**여러 가지로 이동하기** 산　　　　아기 	유아의 말과 행동 말걸기 유아의 반응
3분	**점프하며 만지기** 	유아의 말과 행동 말걸기 유아의 반응
7분	**홍백주머니 던지기** 	유아의 말과 행동 말걸기 유아의 반응
10분	**공 굴려서 표적 맞추기** 	유아의 말과 행동 말걸기 유아의 반응
2분	인사	

4. 온몸운동

시간	종목	상황
3분	인사	
5분	**바위보 점프하기** 바위　　보	유아의 말과 행동 말걸기 유아의 반응
3분	**도형 만들기 체조** 동그라미　원　해보세요.　동그라미　원	유아의 말과 행동 말걸기 유아의 반응
7분	**뛰어서 돌아다니기** 삐-	유아의 말과 행동 말걸기 유아의 반응
10분	**풍선 튕겨 잡기** 	유아의 말과 행동 말걸기 유아의 반응
2분	인사	

5. 도구를 이용한 운동

시간	종목	상황
3분	인사	
5분	**섬 술래잡기** 앗싸!	유아의 말과 행동 말걸기 유아의 반응
3분	**밧줄 뛰어넘거나 빠져나가기** 뛰어넘자 / 빠져나가자	유아의 말과 행동 말걸기 유아의 반응
10분	**홍백주머니 던지기** 	유아의 말과 행동 말걸기 유아의 반응
7분	**공 모으기** 	유아의 말과 행동 말걸기 유아의 반응
2분	인사	

6. 리듬감각 향상 운동

시간	종목	상황
3분	인사	
7분	**위치 바꾸기** 	유아의 말과 행동 말걸기 유아의 반응
3분	**여러 부위 만지기** 머리 / 머리	유아의 말과 행동 말걸기 유아의 반응
5분	**점프하며 가위바위보하기** 바위 가위 보 회전한다 바위에 힘을 모았다가 가위보를 빠르게 한다	유아의 말과 행동 말걸기 유아의 반응
10분	**점프해서 후프 안으로 들어가고 나가기** 들어간다 / 나간다	유아의 말과 행동 말걸기 유아의 반응
2분	인사	

7. 밸런스 향상 운동

시간	종목	상황
3분	**인사**	
3분	**달리다 서기** 	유아의 말과 행동 말걸기 유아의 반응
10분	**여러 가지로 앉기** 아기　아기	유아의 말과 행동 말걸기 유아의 반응
5분	**아차차** 처음 자세　흔들　흔들　아차차	유아의 말과 행동 말걸기 유아의 반응
7분	**바위보 점프하기** 바위　보	유아의 말과 행동 말걸기 유아의 반응
2분	**인사**	

8. 협응력 향상 운동

시간	종목	상황
3분	인사	
3분	**바위보 점프하기** 바위 보	유아의 말과 행동 말걸기 유아의 반응
5분	**동물처럼 점프하기** 토끼 곰	유아의 말과 행동 말걸기 유아의 반응
10분	**몸을 만진 다음 공 잡기**	유아의 말과 행동 말걸기 유아의 반응
7분	**공 보내기**	유아의 말과 행동 말걸기 유아의 반응
2분	인사	

9. 반응능력 향상 운동

시간	종목	상황
3분	인사	
3분	**달리다가 서기** 삐—	유아의 말과 행동 말걸기 유아의 반응
5분	**여러 부위 만지기** 머리　머리	유아의 말과 행동 말걸기 유아의 반응
10분	**점프하며 가위바위보하기** 바위　가위　보　회전한다 바위에 힘을 모았다가 가위보를 빠르게 한다	유아의 말과 행동 말걸기 유아의 반응
7분	**두더지 술래잡기** 잡을거야.　웅크린다	유아의 말과 행동 말걸기 유아의 반응
2분	인사	

I0. 인지력 향상 운동

시간	종목	상황
3분	인사	
3분	**달리다가 서기** 삐ー	유아의 말과 행동 말걸기 유아의 반응
10분	**여러 가지로 이동하기** 산 ⇨ 아기	유아의 말과 행동 말걸기 유아의 반응
5분	**동물처럼 점프하기** 토끼 곰	유아의 말과 행동 말걸기 유아의 반응
7분	**두더지 술래잡기** 잡을거야. 웅크린다	유아의 말과 행동 말걸기 유아의 반응
2분	인사	

4세용 운동능력 향상 프로그램

I. 달리기

시간	종목	상황
3분	인사	
3분	**달리다 서기** 	유아의 말과 행동 말걸기 유아의 반응
5분	**여러 가지로 앉기** 아기 아기	유아의 말과 행동 말걸기 유아의 반응
7분	**되돌아 달려오기** 뽀로로 벽을 터치한다	유아의 말과 행동 말걸기 유아의 반응
10분	**위치 바꾸기** 	유아의 말과 행동 말걸기 유아의 반응
2분	인사	

2. 뛰기

시간	종목	상황
3분	**인사**	
3분	**바위보 점프하기** 바위　보	유아의 말과 행동 말걸기 유아의 반응
5분	**도형 만들기 체조** 동그라미　원　해보세요.　동그라미　원	유아의 말과 행동 말걸기 유아의 반응
7분	**점프하며 가위바위보하기** 바위　가위　보　회전한다 바위에 힘을 모았다가 가위보를 빠르게 한다	유아의 말과 행동 말걸기 유아의 반응
10분	**양발 사이에 공 끼우고 뛰어오르기** '착'하고 착지	유아의 말과 행동 말걸기 유아의 반응
2분	**인사**	

3. 던지기

시간	종목	상황
3분	인사	
3분	**점프하며 만지기** 	유아의 말과 행동 말걸기 유아의 반응
5분	**움직이는 공 잡기** 	유아의 말과 행동 말걸기 유아의 반응
7분	**몸을 만진 다음 공 잡기** 	유아의 말과 행동 말걸기 유아의 반응
10분	**풍선 팅겨 잡기** 	유아의 말과 행동 말걸기 유아의 반응
2분	인사	

4. 온몸운동

시간	종목	상황
3분	인사	
3분	**달리다 서기** 삐─	유아의 말과 행동 말걸기 유아의 반응
5분	**여러 가지로 앉기** 아기　아기	유아의 말과 행동 말걸기 유아의 반응
10분	**여러 가지로 이동하기** 산　아기	유아의 말과 행동 말걸기 유아의 반응
7분	**섬 술래잡기** 앗싸!	유아의 말과 행동 말걸기 유아의 반응
2분	인사	

5. 도구를 이용한 운동

시간	종목	상황
3분	인사	
3분	**점프하며 가위바위보하기** 바위　가위　보　회전한다 바위에 힘을 모았다가 가위보를 빠르게 한다	유아의 말과 행동 말걸기 유아의 반응
7분	**분수 만들기** 	유아의 말과 행동 말걸기 유아의 반응
5분	**개천 뛰어넘기** 	유아의 말과 행동 말걸기 유아의 반응
10분	**평균대 위에서 발 바꾸기** 	유아의 말과 행동 말걸기 유아의 반응
2분	인사	

6. 리듬감각 향상 운동

시간	종목	상황
3분	**인사**	
3분	**흉내내며 점프하기** 앞 / 앞으로 뛴다	유아의 말과 행동 말걸기 유아의 반응
5분	**리듬 점프** 한 발 뛰기 / 한 발 뛰기	유아의 말과 행동 말걸기 유아의 반응
7분	**밧줄 뛰어넘고 빠져나가기** 뛰어넘자. / 빠져나가자.	유아의 말과 행동 말걸기 유아의 반응
10분	**두더지 술래잡기** 잡을거야. / 웅크린다	유아의 말과 행동 말걸기 유아의 반응
2분	**인사**	

7. 밸런스 향상 운동

시간	종목	상황
3분	인사	
3분	**흥내내여 점프하기** 앞 앞으로 뛴다	유아의 말과 행동 말걸기 유아의 반응
5분	**동물처럼 점프하기** 토끼 곰	유아의 말과 행동 말걸기 유아의 반응
7분	**개천 뛰어넘기** 	유아의 말과 행동 말걸기 유아의 반응
10분	**진화하기 게임** 학이 되는 것은 어느 쪽일까? 가위 바위 보	유아의 말과 행동 말걸기 유아의 반응
2분	인사	

8. 협응력 향상 운동

시간	종목	상황
3분	인사	
5분	여러 가지로 이동하기 산　아기 	유아의 말과 행동 말걸기 유아의 반응
4분	여러 가지로 앉기 아기　아기 	유아의 말과 행동 말걸기 유아의 반응
6분	딱지치기 위에서 던지기 	유아의 말과 행동 말걸기 유아의 반응
10분	홍백주머니 던지기 	유아의 말과 행동 말걸기 유아의 반응
2분	인사	

9. 반응능력 향상 운동

시간	종목	상황
3분	인사	
3분	달리다가 서기	유아의 말과 행동 말걸기 유아의 반응
10분	후프 놀이	유아의 말과 행동 말걸기 유아의 반응
5분	뛰어서 돌아다니기	유아의 말과 행동 말걸기 유아의 반응
7분	장벽 술래잡기	유아의 말과 행동 말걸기 유아의 반응
2분	인사	

10. 인지력 향상 운동

시간	종목	상황
3분	**인사**	
3분	**점프하며 가위바위보하기** 바위 가위 보 회전한다 바위에 힘을 모았다가 가위보를 빠르게 한다	유아의 말과 행동 말걸기 유아의 반응
10분	**분수 만들기**	유아의 말과 행동 말걸기 유아의 반응
7분	**뛰어 돌아다니기** 삐익~	유아의 말과 행동 말걸기 유아의 반응
5분	**공 모으기**	유아의 말과 행동 말걸기 유아의 반응
2분	**인사**	

5세용 운동능력 향상 프로그램

I. 달리기

시간	종목	상황
3분	인사	
3분	**위치 바꾸기** 	유아의 말과 행동 말걸기 유아의 반응
5분	**여러 가지로 앉기** 아기 　아기	유아의 말과 행동 말걸기 유아의 반응
7분	**분수 만들기** 	유아의 말과 행동 말걸기 유아의 반응
10분	**후프 놀이** 빨리 　서두르자!	유아의 말과 행동 말걸기 유아의 반응
2분	인사	

2. 뛰기

시간	종목	상황
3분	**인사**	
3분	**흉내내며 점프하기** 앞으로 뛴다	유아의 말과 행동 말걸기 유아의 반응
5분	**여러 가지로 앉기** 	유아의 말과 행동 말걸기 유아의 반응
7분	**평균대 위에서 새처럼 점프하기** 	유아의 말과 행동 말걸기 유아의 반응
10분	**평균대 위에서 발 바꾸기** 	유아의 말과 행동 말걸기 유아의 반응
2분	**인사**	

3. 던지기

시간	종목	상황
3분	인사	
10분	**공 모으기** 	유아의 말과 행동 말걸기 유아의 반응
7분	**홍백주머니 던지기** 	유아의 말과 행동 말걸기 유아의 반응
3분	**딱지치기** 위에서 던지기 	유아의 말과 행동 말걸기 유아의 반응
5분	**뒤로 던지기** 	유아의 말과 행동 말걸기 유아의 반응
2분	인사	

4. 온몸운동

시간	종목	상황
3분	인사	
5분	**가위바위보 왕복달리기** 이겼다! 가위바위보	유아의 말과 행동 말걸기 유아의 반응
5분	**가위바위보 달리기** 가위바위보 기다린다 달린다	유아의 말과 행동 말걸기 유아의 반응
5분	**공 보내기**	유아의 말과 행동 말걸기 유아의 반응
10분	**7개의 공으로 하는 게임**	유아의 말과 행동 말걸기 유아의 반응
2분	인사	

5. 도구를 이용한 운동

시간	종목	상황
3분	인사	
3분	**흉내내며 점프하기** 앞 앞으로 뛴다	유아의 말과 행동 말걸기 유아의 반응
5분	**몸을 만진 다음 공잡기**	유아의 말과 행동 말걸기 유아의 반응
10분	**양발 사이에 공 끼우고 뛰어오르기** '착'하고 착지	유아의 말과 행동 말걸기 유아의 반응
7분	**원반 게임**	유아의 말과 행동 말걸기 유아의 반응
2분	인사	

6. 리듬감각 향상 운동

시간	종목	상황
3분	인사	
3분	발바닥 터치하기 	유아의 말과 행동 말걸기 유아의 반응
5분	후프 놀이 	유아의 말과 행동 말걸기 유아의 반응
7분	점프해서 후프 안으로 들어가고 나가기 	유아의 말과 행동 말걸기 유아의 반응
10분	양발 사이에 공 끼우고 뛰어오르기 	유아의 말과 행동 말걸기 유아의 반응
2분	인사	

7. 밸런스 향상 운동

시간	종목	상황
3분	**인사**	
3분	**점프하며 가위바위보하기** 바위에 힘을 모았다가 가위보를 빠르게 한다	유아의 말과 행동 말걸기 유아의 반응
7분	**분수 만들기** 	유아의 말과 행동 말걸기 유아의 반응
10분	**평균대 위에서 발 바꾸기** 	유아의 말과 행동 말걸기 유아의 반응
5분	**장벽 술래잡기** 	유아의 말과 행동 말걸기 유아의 반응
2분	**인사**	

8. 협응력 향상 운동

시간	종목	상황
3분	인사	
3분	**움직이는 공 잡기** 	유아의 말과 행동 말걸기 유아의 반응
5분	**뒤로 던지기** 	유아의 말과 행동 말걸기 유아의 반응
7분	**평균대 위에서 새처럼 점프하기** 	유아의 말과 행동 말걸기 유아의 반응
10분	**원반 게임** 	유아의 말과 행동 말걸기 유아의 반응
2분	인사	

9. 반응능력 향상 운동

시간	종목	상황
3분	**인사**	
3분	**달리다가 서기** 삐—	유아의 말과 행동 말걸기 유아의 반응
7분	**가위바위보 왕복달리기** 이겼다! 가위바위보	유아의 말과 행동 말걸기 유아의 반응
10분	**가위바위보 달리기** 가위바위보　　기다린다　달린다	유아의 말과 행동 말걸기 유아의 반응
5분	**반대 술래잡기** 도망간다　　터치하러 간다	유아의 말과 행동 말걸기 유아의 반응
2분	**인사**	

10. 인지력 향상 운동

시간	종목	상황
3분	인사	
3분	**반대쪽 발 터치하기**	유아의 말과 행동 말걸기 유아의 반응
5분	**몸을 만진 다음 공 잡기**	유아의 말과 행동 말걸기 유아의 반응
10분	**되돌아 달려오기** 뽀로로 벽을 터치한다.	유아의 말과 행동 말걸기 유아의 반응
5분	**7개의 공으로 하는 게임**	유아의 말과 행동 말걸기 유아의 반응
2분	인사	

참 | 고 | 문 | 헌

교육과학기술부(2011). 5세 누리과정 교사용 지도서.

교육인적자원부(2006). 가족과 함께하는 유아체력증진 프로그램.

국민생활체육회(2014). 2014 유아체육활동지원 지도자 교육.

김경수 외(1997). 어린이 체육지도백과(전5권). 대경북스.

김경원 · 공우엽(2009). 운동 발달의 이해. 레인보우북스.

김은심(2004). 유아동작교육의 이론과 실제. 창지사.

문화체육관광부(2014). 유아운동발달 지침서. 한국스포츠개발원.

서인규 외(2005). 유아체육 지도와 프로그램. 대경북스.

성은영 외(2013). 영 · 유아를 위한 교수학습방법. 정민사.

소정룡 · 손원호(2009). 유아체육교육. 진리탐구.

손원호(2012). 지도자를 위한 유아체육교육의 이론과 실제. 창지사.

원영신 외(1998). 움직임 교육의 이론과 실제. 다음세대.

이광우, 박병국(2008). 유아들의 신체활동을 위한 유아체육. 학이당.

이숙재(1990). 유아를 위한 놀이의 이론과 실제. 창지사.

이영심(2003). 유아를 위한 놀이속의 움직임 교육. 대경북스.

전선혜(2014). 2014 유아체육활동지원 지도자 교육. 국민생활체육회.

정인태(2002). 유아체육교육과정. 한국유아체육과학학술원 출판국.

천길영 · 김영식 공역(2005). 체력육성을 위한 트레이닝 방법론. 대경북스.

한국건강증진재단(2011). WHO 신체활동 권장지침. 국민건강총서 통권 제3호.

한국유아체육학회(2015). 유아체육론. 대한미디어.

한미라 외(2002). 현대유아교육의 이해. 양서원.

함정은(2001). 교사들을 위한 유아체육. 형설출판사.

桐生良夫 編著(1996). 幼児體育指導書. 杏林書院.

森下春枝 外(1997). 乳幼児の健康. 不昧堂書店.

小野三嗣(1990). 健康をもとめて · 乳児期. 不昧堂書店.

松浦義行(1996). 體力の發達. 朝倉書店.

東根明人(2016). 幼児のためのコーディネーション. 明治図書.

AAHPERD(1992). Developmentally appropriate physical education practices for children. Reston, VA: AAHPERD.

Barnes, P. J. (1987). *Airway receptors. In Drug Therapy for Asthma.* ed. Jenne, J. W. & Murphy, S. New York, USA: Dekker.

Cooper, K. H. (1991). *Kid Fitness.* New York, NY: Bantam.

Gallahue, D. L., & Ozmun, J. C. (1998). *Understanding Motor Development-Infants, Children, Adolescents, Adults.* Boston, MA: McGraw-Hill.

Gallahue, D. L., & Ozmun, J. C. (2002). *Understanding Motor Development.* New York, McGraw-Hill.

Graham, G. (1992). Teaching Children Physical Education. *Champaign*, IL: Human Kinetics.

Graham, G., Holt/Hale, S. & Parker, M. (1998). *Children Moving.* (4th ed.). Mountain View, CA: Mayfield.

Levy, J. (1978). *Play Behavior.* New York : John & Wiley & Sons.

McKenzie, T. & Rosengard, P. (2000). *SPARK Physical Education Program for Grades 3-6.* San Diego, CA: San Diego State University Foundation.

Nichols, B. (1986). *Moving and Learning: The Elementary School Physical Education Experience.* St. Louis, MO: Times Mirror.

Pangrazi, R. (2001). *Dynamic Physical Education for Elementary School Children.* (13th ed.). New York, NY: Macmillan.

Piaget, J. (1962). *Play, Dreams and Imitation in Childhood.* New York : W. W. Norton.

Rosengard, P., McKenzie, T., & Short, K. (2000). *SPARK Physical Education Program for Grades K-2.* San Diego, CA: San Diego State University Foundation.

Siedentop, D. (1990). *Introduction to Physical Education, Fitness, and Sport.* Mountain View, CA: Mayfield.

Tanner, R. H., Whithouse and Takaishi, M. (1965). Standards from Brith to Maturity for Height, Weight, Height Velocity and Weight Velocity. British Children.

Ulrich, D. A. (2000). *Test of Gross Motor Development.* (2nd ed.) Austin, TXL Pro Ed Publisher.